KiWi

735

Über das Buch

In einer heißen Tropennacht feiert ein Dorf an der kolumbianischen Karibikküste mit einem rauschenden Fest die Hochzeit von Bayardo San Román und Angela Vicario. Daß die Braut ihren zukünftigen Mann nicht liebt, scheint ein unwesentliches Detail – denn Liebe erlernt sich. Doch noch in der Hochzeitsnacht wird die Braut ins Elternhaus zurückgeschickt; sie war nicht unberührt. Der mutmaßliche »Täter« muß sterben.

In seiner atemberaubenden Chronik beschreibt Gabriel García Márquez die Stunden zwischen Ankündigung und grausamem Vollzug dieses Todes.

»Ein Kabinettstück, ein echter García Márquez.«
Frankfurter Allgemeine Zeitung

Der Autor

Gabriel García Márquez, 1927 in Aracataca, Kolumbien, geboren, arbeitete nach dem Jurastudium zunächst als Journalist. 1982 erhielt er den Nobelpreis für Literatur. García Márquez hat ein umfangreiches erzählerisches und journalistisches Werk vorgelegt. Er gilt als einer der bedeutensten und erfolgreichsten Schriftsteller der Welt.

Das gesamte Werk von Gabriel García Márquez ist bei Kiepenheuer & Witsch lieferbar.

Gabriel García Márquez

Chronik eines angekündigten Todes

Roman

Aus dem Spanischen
von Curt Meyer-Clason

Kiepenheuer & Witsch

3. Auflage 2002

Titel der Originalausgabe *Crónica de una muerte anunciada*

Aus dem Spanischen von Curt Meyer-Clason

Umschlaggestaltung: Barbara Thoben, Köln
Umschlagmotiv: © Cornelius Schüle, Hamburg
Foto Rückseite: © dpa
Gesamtherstellung: Clausen & Bosse, Leck
ISBN 3-462-03195-3

Liebesjagd ist Falkenjagd

Gil Vicente

An dem Tag, an dem sie Santiago Nasar töten wollten, stand er um fünf Uhr dreißig morgens auf, um den Dampfer zu erwarten, mit dem der Bischof kam. Er hatte geträumt, er wandere durch einen Wald aus Feigenbäumen, in dem ein sanfter Nieselregen fiel, und einen Augenblick lang war er glücklich in dem Traum, aber beim Erwachen fühlte er sich vollständig mit Vogelkacke bespritzt. »Er träumte immer von Bäumen«, sagte mir Plácida Linero, seine Mutter, als sie siebenundzwanzig Jahre später die Einzelheiten jenes unglückseligen Montags beschwor. »In der Woche davor hatte er geträumt, er säße allein in einem Flugzeug aus Silberpapier, das zwischen Mandelbäumen hindurchflog, ohne anzustoßen«, sagte sie. Sie hatte den wohlverdienten Ruf einer zuverlässigen Deuterin fremder Träume, sofern man sie ihr auf nüchternen Magen erzählte, und doch hatte sie in den beiden Träumen ihres Sohnes kein unheilvolles Vorzeichen entdeckt, auch nicht in den anderen Träumen von Bäumen, die er ihr an den seinem Tod vorausgegangenen Vormittagen erzählt hatte.

Auch Santiago Nasar erkannte das Omen nicht. Er hatte kurz und schlecht geschlafen, ohne sich ausgezogen zu haben, und erwachte mit Kopfschmerzen und einem Belag wie von Messingsteigbügeln auf der Zunge, was er als natürliche Nachwirkungen des Hochzeitsgelages deutete, das sich bis nach Mitternacht hingezogen hatte. Mehr noch:

die zahlreichen Personen, denen er begegnete, nachdem er sein Haus um sechs Uhr fünf verlassen hatte, bis er eine Stunde später wie ein Schwein abgestochen wurde, erinnerten sich seiner als etwas verschlafen, aber gutgelaunt, und zu allen bemerkte er beiläufig, es sei ein sehr schöner Tag. Niemand war sicher, ob er vom Wetter sprach. Viele stimmten in ihrer Erinnerung darin überein, daß es ein strahlender Morgen mit einer Brise vom Meer gewesen war, die durch die Bananenpflanzungen wehte, wie von einem schönen Februar jener Zeit zu erwarten war. Die meisten waren sich indessen darin einig, daß es düsteres Wetter gewesen war mit einem trüben niedrigen Himmel und einem zähen Geruch nach stehenden Gewässern und daß im Augenblick des Unglücks ein kleiner Nieselregen fiel, wie ihn Santiago Nasar im Wald seines Traums erblickt hatte. Ich erholte mich gerade vom Hochzeitsgelage in María Alejandrina Cervantes' apostolischem Schoß und erwachte erst vom Lärm der sturmläutenden Glocken, von denen ich dachte, man habe sie zu Ehren des Bischofs in Bewegung gesetzt.

Santiago Nasar zog eine Hose und ein Hemd aus weißem Leinen an, beides ungestärkt, wie er sie am Vortag für die Hochzeit angezogen hatte. Es war die Kleidung zu gegebenem Anlaß. Ohne die Ankunft des Bischofs hätte er seinen Khaki-Anzug und die Reitstiefel angezogen, in denen er montags zum »Göttlichen Antlitz« ritt, der von seinem Vater ererbten Hazienda, die er sehr kundig, aber ohne viel Glück verwaltete. Im Bergland trug er eine 357 Magnum im Gürtel, deren Vollmantelgeschosse, wie er sagte, ein Pferd in der Mitte entzweireißen konnten. Zur Rebhuhnzeit nahm er sein Falknergerät mit. Im Schrank verwahrte er überdies eine Manlicher Schönauer Büchse 30.06, ein 300 Holland Magnum Kaliber, eine 22er Hornet mit zweistufigem Zielfernrohr und einen Winchester Repetierer. Er schlief immer, wie sein Vater geschlafen hatte, mit der Waffe im Kopfkissenbezug, doch bevor er an jenem Tag das Haus verließ, nahm er die Patronen heraus und legte die Waffe in die Nachttischschublade. »Er ließ sie nie geladen zurück«, sagte mir seine Mutter. Ich wußte es und wußte außerdem, daß er die Waffen an einem Ort verwahrte und die Munition an einem anderen, sehr entfernten versteckte, so daß niemand auch nur zufällig der Verführung erliegen konnte, die Waffen innerhalb des Hauses zu laden. Das war eine ihm vom Vater auferlegte weise Gewohnheit, seitdem ein Dienstmädchen eines Morgens das Kopfkissen geschüttelt hatte, um den Bezug abzuziehen, und dabei die Pistole beim Aufschlag auf den Fußboden losging, die Kugel den Schlafzimmerschrank zertrümmerte, die Wohnzimmerwand durchdrang, mit Kriegsgetöse durch das Eßzimmer des Nachbarhauses schoß und einen lebensgroßen Heiligen auf dem Hochaltar der Kirche am äußersten Ende des Platzes in Gipsstaub verwandelte. Santiago Nasar, der damals sehr klein war, hatte jenen Zwischenfall nie vergessen und die Lektion gelernt.

Das letzte Bild, das seine Mutter von ihm festhielt, war sein fluchtartiger Gang durchs Schlafzimmer. Er hatte sie geweckt, als er in der Badezimmerapotheke nach einem Aspirin tastete, und sie zündete das Licht an und sah ihn mit dem Wasserglas in der Hand in der Türe stehen, und so sollte sie sich seiner für immer erinnern. Nun erzählte Santiago Nasar ihr seinen Traum, doch sie achtete nicht auf die Bäume. »Alle Träume mit Vögeln bedeuten gute Gesundheit«, sagte sie.

Sie sah ihn von derselben Hängematte aus und in der gleichen Stellung, in der ich sie fand, dahingestreckt vom letzten Aufflackern des Alters, als ich in dieses vergessene Dorf zurückkehrte und den zerbrochenen Spiegel der Erinnerung mit Hilfe von so vielen verstreuten Scherben wieder zusammenzusetzen versuchte. Sie konnte auch bei Tageslicht kaum noch Umrisse erkennen, auf den Schläfen hatte sie Heilkräuter zur Linderung ihrer ewigen Kopfschmerzen, die ihr Sohn ihr bei seinem letzten Gang durch ihr Schlafzimmer hinterlassen hatte. Sie lag auf der Seite, an die Stricke am Kopfende der Hängematte geklammert, versuchte, sich aufzurichten, und im Dämmerlicht hing jener Geruch nach Taufkapelle, der mich am Morgen des Verbrechens überrascht hatte.

Kaum war ich im Türausschnitt erschienen, da verwechselte sie mich mit ihrer Erinnerung an Santiago Nasar. »Dort stand er«, sagte sie. »Er trug den nur mit Wasser gewaschenen weißen Leinenanzug, weil er eine so zarte Haut hatte, daß er das Reiben des gestärkten Stoffs nicht ertragen konnte.« Sie saß lange Zeit in der Hängematte, Kressekerne kauend, bis die Wahnvorstellung vorüber war, daß ihr Sohn zurückgekehrt sei. Dann seufzte sie: »Er war der Mann meines Lebens.«

Ich sah ihn in ihrer Erinnerung. In der letzten Januarwoche war er einundzwanzig Jahre alt geworden, er war schlank und blaß und hatte die arabischen Augenlider und das Kraushaar seines Vaters. Er war der einzige Sohn einer Vernunftehe, die keinen Augenblick des Glücks gekannt hatte, doch schien er mit seinem Vater glücklich gewesen zu sein, bis dieser plötzlich, drei Jahre zuvor, gestorben war, und er schien auch mit der einsamen Mutter weiterhin glücklich gewesen zu sein, bis zum Montag seines Todes. Von ihr hatte er den Instinkt ererbt. Von seinem Vater hatte er schon als Kind den Umgang mit Feuerwaffen, die Liebe zu Pferden und das Abrichten hochfliegender Raubvögel erlernt, aber auch die schönen Künste der Tapferkeit und die Klugheit hatte er von ihm erlernt. Untereinander sprachen sie Arabisch, doch nicht vor Plácida Linero, damit sie sich nicht ausgeschlossen fühlte. Man sah die beiden im Dorf nie bewaffnet, und nur ein einziges Mal hatten sie ihre abgerichteten Falken bei sich, um bei einem Wohltätigkeitsbazar eine Beizjagdvorführung zu geben. Der Tod seines Vaters hatte Santiago Nasar gezwungen, seine Ausbildung mit Abschluß der Oberschule abzubrechen, um die Leitung der Familien-Hazienda zu übernehmen. Santiago Nasar war durch eigene Verdienste fröhlich und friedlich und hatte ein unbeschwertes Herz.

An dem Tag, an dem sie ihn töten wollten, glaubte seine Mutter, als sie ihn im weißen Anzug sah, er habe sich im Datum geirrt. »Ich erinnerte ihn daran, daß es Montag sei«, sagte sie zu mir. Doch er erklärte ihr, er habe sich päpstlich weiß gekleidet, für den Fall, daß er Gelegenheit haben sollte, den Ring des Bischofs zu küssen. Sie zeigte keinerlei Interesse.

»Er wird nicht einmal von Bord gehen«, sagte sie zu mir. »Er wird wie üblich seinen Pflichtsegen austeilen und dahin zurückfahren, woher er gekommen ist. Er haßt dieses Dorf.«

Santiago Nasar wußte, daß das zutraf, aber der Prunk der Kirche übte eine unwiderstehliche Anziehungskraft auf ihn aus. »Es ist wie im Kino«, hatte er einmal zu mir gesagt. Das einzige hingegen, was seine Mutter an der Ankunft des Bischofs interessierte, war, daß ihr Sohn nicht in den Regen kam, denn sie hatte ihn im Schlaf niesen hören. Sie riet ihm, einen Regenschirm mitzunehmen, doch er winkte ihr mit der Hand ein Lebewohl zu und verließ das Zimmer. Das war das letzte Mal, daß sie ihn sah.

Victoria Guzmán, die Köchin, war sicher, daß es an jenem Tag nicht geregnet hatte, ebensowenig den ganzen Februar hindurch. »Im Gegenteil«, sagte sie, als ich sie kurz vor ihrem Tod aufsuchte, »es wurde früher am Tag heiß als im August.« Sie zerlegte gerade drei Kaninchen für das Mittagessen, umringt von hechelnden Hunden, als Santiago Nasar die Küche betrat. »Er hatte immer ein unausgeschlafenes Gesicht, wenn er aufstand«, erinnerte sich Victoria Guzmán lieblos. Divina Flor, ihre kaum erblühte Tochter, reichte Santiago Nasar eine Tasse Hochlandkaffee mit einem Schuß Zuckerrohrschnaps, wie jeden Montag, um ihm den Kater der vergangenen Nacht vertreiben zu helfen. Die riesige Küche mit der zischelnden Glut und den auf ihren Stangen schlafenden Hühnern atmete schweigend. Santiago Nasar kaute ein zweites Aspirin und setzte sich, um gemächlich seine Tasse Kaffee zu schlürfen, dabei dachte er nach, ohne den Blick von den beiden Frauen zu wenden, welche die Kaninchen über dem Herdloch ausnahmen. Trotz ihres Alters war Victoria Guzmán noch rüstig. Die noch ein wenig ungebändigte Kleine schien am Drang ihrer Drüsen zu ersticken. Santiago Nasar packte sie am Handgelenk, als sie ihm die leere Tasse abnahm.

»Bist schon alt genug, um zugeritten zu werden«, sagte er.

Victoria Guzmán zeigte ihm das blutige Messer.

»Laß sie los, Weißer«, befahl sie ohne Scherz. »Von diesem Wasser trinkst du nicht, solange ich lebe.«

Sie war in der Fülle ihrer Jugend von Ibrahim Nasar verführt worden. Mehrere Jahre hindurch hatte er sie heimlich in den Ställen der Hazienda geliebt und als Dienstmädchen in sein Haus aufgenommen, als seine Zuneigung erlosch. Divina Flor, Tochter eines Ehemanns aus jüngerer Zeit, wußte sich für Santiago Nasars heimliches Bett bestimmt, und dieser Gedanke verursachte ihr vorzeitig Beklemmungen. »Ein Mann wie dieser ist nie wieder auf die Welt gekommen«, sagte sie zu mir, fett und verwelkt, umringt von den Kindern aus anderen Liebschaften. »Er war genau wie sein Vater«, erwiderte ihr Victoria Guzmán. »Ein Scheißkerl.« Und doch konnte sie sich eines schaudernden Grauens nicht erwehren, als sie sich an Santiago Nasars Entsetzen erinnerte, als sie einem Kaninchen samt und sonders die Innereien herausgerissen und die dampfenden Därme den Hunden vorgeworfen hatte.

»Sei nicht so barbarisch«, sagte er. »Stell dir vor, es sei ein menschliches Wesen.«

Victoria Guzmán brauchte fast zwanzig Jahre, um zu begreifen, daß ein Mann, der gewohnt war, wehrlose Tiere zu töten, plötzlich solches Entsetzen zeigen konnte. »Heiliger Gott«, rief sie erschrocken aus, »das alles war somit eine Offenbarung!« Trotzdem hatte sie am Morgen des Verbrechens so viel Wut angesammelt, daß sie die Hunde weiter mit den Eingeweiden der anderen Kaninchen fütterte, nur um Santiago Nasar sein Frühstück zu vergällen. So lagen die Dinge, als das ganze Dorf vom markerschütternden Tuten des Dampfers erwachte, auf dem der Bischof ankam.

Das Haus war ein alter zweistöckiger Schuppen aus rohen Bretterwänden mit einem Satteldach aus Weißblech, auf dem die Geier auf die Hafenabfälle lauerten. Es war in den Zeiten erbaut worden, als der Fluß so dienstwillig war, daß viele Seebarkassen und sogar einige Hochseeschiffe sich durch die Sümpfe der Mündung hier heraufwagten. Als Ibrahim Nasar mit den letzten Arabern gegen Ende der Bürgerkriege eintraf, liefen wegen der Veränderungen des Flußlaufs keine Seeschiffe mehr ein, und der Schuppen wurde nicht mehr benutzt. Ibrahim Nasar kaufte ihn zu einem Spottpreis, um einen Importladen einzurichten, den er aber nie einrichtete, und erst als er ans Heiraten dachte, baute er den Schuppen zu einem Wohnhaus um. Im Erdgeschoß legte er einen Wohnraum für alle an und baute im Hinterhaus einen Pferdestall für vier Tiere, die Dienstbotenkammern und eine Gutsküche ein mit Fenstern, die auf den Hafen gingen und durch die zu allen Stunden der Pestgeruch des Wassers drang. Das einzige, was er im Wohnzimmer unberührt ließ, war die aus irgendeinem Schiffbruch gerettete Wendeltreppe. Den Oberstock, in dem die Zollbüros gewesen waren, teilte er in zwei geräumige Schlafzimmer und fünf Kammern für die vielen Kinder auf, die er zu zeugen gedachte, und er baute einen Holzbalkon auf die Mandelbäume des Platzes hinaus, auf den Plácida Linero sich an Märznachmittagen setzte, um sich über ihre Einsamkeit hinwegzutrösten. Ibrahim Nasar behielt die Haupteingangstür an der Frontseite bei und brachte zwei stockhohe Fenster mit gedrechselten Stäben an. Er beließ auch die Hintertür, nur etwas höher, um hindurchreiten zu können, und behielt einen Teil der alten Mole in Gebrauch. Diese Hintertür blieb die meistbenutzte Tür, nicht nur, weil sie der natürliche Zugang zu den Stallungen und der Küche war, sondern weil sie, ohne den Umweg über den Platz, auf die Straße zum neuen Hafen ging. Die vordere Haustür blieb bis auf festliche Anlässe mit Schloß und Sperrbalken verriegelt. Trotzdem warteten dort und nicht vor der hinteren Tür die Männer, die Santiago Nasar töten wollten, und durch diese Tür ging er auch heraus, um zum Empfang des Bischofs zu gehen, obwohl er ganz um das Haus herumgehen mußte, um zum Hafen zu gelangen.

Niemand vermochte so viele verhängnisvolle Zufälle zu begreifen. Der Untersuchungsrichter, der aus Riohacha kam, fühlte sie vermutlich, ohne es sich einzugestehen, denn sein Bestreben, ihnen eine rationale Erklärung zu geben, ergab sich deutlich aus der Beweisaufnahme. Die Haustür wurde mehrmals mit einer feuilletonistischen Bezeichnung erwähnt: *Die verhängnisvolle Tür.* In Wirklichkeit schien die einzig gültige Erklärung die von Plácida Linero zu sein, die auf die Frage mit dem Verstand der Mutter erwiderte: »Mein Sohn ging nie durch die Hintertür raus, wenn er gut angezogen war.« Dies schien eine so naheliegende Wahrheit, daß der Untersuchungsrichter sie in einer Randbemerkung festhielt, sie aber nicht in die Beweisaufnahme einschloß.

Victoria Guzmán ihrerseits war mit ihrer Antwort eindeutig: Weder sie noch ihre Tochter wußten, daß man auf Santiago Nasar wartete, um ihn zu töten. Doch gab sie im Lauf der Jahre zu, daß sie beide es wußten, als er die Küche betrat, um seinen Kaffee zu trinken. Eine Frau, die nach fünf Uhr hereinkam und um das Almosen von etwas Milch bat, hatte es ihnen gesagt und außerdem die Beweggründe und den Ort genannt, an dem sie ihn bereits erwarteten. »Ich warnte ihn nicht, weil ich das für Geschwätz von Besoffenen hielt«, sagte sie zu mir. Dennoch gestand Divina Flor mir bei einem späteren Besuch, als ihre Mutter bereits tot war, daß diese Santiago Nasar nichts gesagt hatte, weil sie im Grunde ihres Herzens wünschte, sie würden ihn töten. Sie hingegen warnte ihn nicht, weil sie damals nichts als ein schreckhaftes, eigener Entscheidung unfähiges kleines Mädchen war und noch mehr erschrak, als er sie am Handgelenk packte mit einer Hand, die sie als eisig und steinhart empfand wie die eines Toten.

Santiago Nasar schritt mit großen Schritten durch das halbdunkle Haus, verfolgt vom Jubelgeheul des bischöflichen Dampfers. Divina Flor eilte voraus, um ihm die Tür zu öffnen, bemüht, sich zwischen den Käfigen mit den schlafenden Vögeln im Eßzimmer, den Korbmöbeln und den im Wohnzimmer hängenden Farnkrauttöpfen nicht einholen zu lassen, doch als sie den Sperrbalken der Haustür zurückschob, vermochte sie wieder einmal nicht der Hand des blutrünstigen Sperbers auszuweichen. »Er griff mir derb an die Fotze«, sagte Divina Flor zu mir. »Das tat er immer, wenn er mich allein in den Winkeln des Hauses traf, doch an jenem Tag erschrak ich nicht wie sonst, sondern hatte nur fürchterliche Lust zu weinen.« Sie wich zurück, um ihn hinaustreten zu lassen, und durch die halbgeöffnete Tür sah sie die Mandelbäume des Platzes, schneeweiß im Morgenglanz, doch ihr fehlte der Mut, mehr zu sehen. »Dann hörte das Dröhnen des Dampfers auf, und die Hähne begannen zu krähen«, sagte sie zu mir. »Der Lärm war so gewaltig, daß man kaum glauben konnte, es gäbe so viele Hähne im Dorf, und ich dachte, sie seien mit dem Dampfer des Bischofs gekommen.« Das einzige, was sie für den Mann tun konnte, der nie der ihre werden sollte, war, die Tür gegen Plácida Lineros Anweisung unverriegelt zu lassen, damit er im Notfall wieder hereinkommen konnte. Jemand, der nie identifiziert wurde, hatte in einem Umschlag ein Stück Papier unter der Tür durchgeschoben, auf dem Santiago Nasar mitgeteilt wurde, daß man auf ihn warte, um ihn zu töten; man enthüllte ihm überdies den Ort und die Beweggründe, sowie haargenau andere Einzelheiten der Verschwörung. Die Botschaft lag auf dem Fußboden, als Santiago Nasar sein Haus verließ, aber sie wurde nicht von ihm gesehen, auch nicht von Divina Flor noch sonst jemandem, sondern erst, nachdem das Verbrechen längst verübt war.

Es hatte sechs geschlagen, und noch brannte die Straßenbeleuchtung. Auf den Ästen der Mandelbäume und einigen Balkonen waren noch die bunten Hochzeitsgirlanden zu sehen, so daß man hätte meinen können, sie seien soeben zu Ehren des Bischofs aufgehängt worden. Aber der Platz, fliesenbedeckt bis zum Vorhof der Kirche, wo das Musikpodium stand, glich einem Müllhaufen mit den leeren Flaschen und allem möglichen Abfall des öffentlichen Gelages. Als Santiago Nasar sein Haus verließ, rannten verschiedene Leute, vom Heulen des Dampfers getrieben, in Richtung Hafen.

Auf dem Platz war nur ein Milchladen geöffnet auf einer Seite der Kirche, wo die beiden Männer saßen, die auf Santiago Nasar warteten, um ihn zu töten. Clotilde Armenta, die Besitzerin des Geschäfts, sah ihn als erste im Glanz des Tagesanbruchs und gewann den Eindruck, er trage einen Anzug aus Aluminium. »Er glich bereits einem Gespenst«, sagte sie zu mir. Die Männer, die ihn töten wollten, waren auf den Stühlen eingeschlafen und hatten die in Zeitungen eingewickelten Messer auf den Schoß gepreßt, und Clotilde hielt den Atem an, um sie nicht zu wecken.

Sie waren Zwillinge: Pedro und Pablo Vicario. Sie waren vierundzwanzig Jahre alt und einander so ähnlich, daß es Mühe kostete, sie auseinanderzuhalten. »Sie waren vierschrötig, aber gutartig«, verkündete die Beweisaufnahme. Ich, der ich sie seit der Volksschule kannte, hätte das gleiche geschrieben. An jenem Morgen trugen sie noch die für die Karibik viel zu dicken und förmlichen Wollanzüge und sahen nach so vielen Stunden des Bummelns ziemlich mitgenommen aus, hatten sich jedoch einer Rasur unterzogen. Obgleich sie seit dem Vorabend des Gelages nicht aufgehört hatten zu trinken, waren sie nach drei Tagen nicht mehr betrunken und wirkten nur wie übernächtigte Schlafwandler. Nach drei Stunden des Wartens waren sie beim ersten Schimmer des Tagesanbruchs in Clotilde Armentas Laden eingeschlafen, und das war seit Freitag ihr erster Schlaf. Sie waren beim ersten Heulen des Dampfers kaum aufgewacht, aber der Instinkt weckte sie dann vollständig, als Santiago Nasar sein Haus verließ. Sofort packten beide ihre Zeitungsrolle, und Pedro Vicario erhob sich.

»Um Gottes willen«, murmelte Clotilde Armenta.

»Lassen Sie's doch für später, und wenn auch nur aus Achtung vor dem Bischof.«

»Es war ein Atemhauch des Heiligen Geistes«, wiederholte sie oft. In der Tat war es ein Ereignis der Vorsehung gewesen, doch nur von vorübergehender Wirkung. Als die Zwillinge Vicario sie hörten, überlegten sie, und der, der sich erhoben hatte, setzte sich wieder. Beide sahen Santiago Nasar nach, als er nun über den Platz schritt. »Sie blickten eher mitleidig auf ihn«, sagte Clotilde Armenta. In diesem Augenblick überquerten die kleinen Mädchen der Nonnenschule in ihrer Waisenuniform ungeordnet den Platz.

Plácida Linero hatte recht: Der Bischof ging nicht von Bord. Außer den Behörden und Schulkindern waren viele Leute im Hafen, und überall sah man

Körbe mit Masthähnen als Geschenke für den Bischof, denn Hahnenkammsuppe war sein Lieblingsgericht. Auf dem Frachtkai lag so viel Holz gestapelt, daß der Dampfer wenigstens zwei Stunden fürs Laden benötigt hätte. Doch er legte nicht an. Er tauchte in der Flußbiegung auf, fauchend wie ein Drache, und nun stimmte die Musikkapelle die Bischofshymne an, und die Hähne krähten in ihren Körben los und begrüßten stürmisch die anderen Hähne des Dorfs.

Zu jener Zeit ging es mit den legendären, holzbetriebenen Raddampfern zu Ende, und die wenigen, die noch im Dienst waren, hatten bereits kein Pianola, keine Kabinen für Hochzeitsreisende mehr und kamen kaum gegen den Strom an. Doch dieser hier war neu und besaß zwei Schornsteine statt einem, mit der als Schornsteinmarke aufgemalten Landesflagge, und das Schaufelrad am Heck verlieh ihm die Antriebskraft eines seetüchtigen Schiffs. Auf dem Oberdeck neben der Kapitänskajüte stand der Bischof in weißer Soutane mit seinem Gefolge von Spaniern. »Es war Weihnachtswetter«, hat meine Schwester Margot gesagt. Nach ihrem Bericht stieß nämlich das Nebelhorn des Dampfers, als er am Hafen vorüberfuhr, einen Dampfstrahl aus, der die nahe am Molenrand Stehenden durchnäßte. Es war eine flüchtige Illusion: Der Bischof begann vor der auf der Mole versammelten Menge das Zeichen des Kreuzes in die Luft zu machen, dann machte er es automatisch ohne böse Absicht oder göttliche Eingebung weiter, bis das Schiff außer Sichtweite glitt und nur das Lärmen der Hähne zu hören war.

Santiago Nasar hatte Gründe, sich betrogen zu

fühlen. Er war den öffentlichen Aufforderungen von Pater Carmen Amador mit mehreren Ladungen Holz nachgekommen und hatte überdies höchstpersönlich die Kapaune mit den appetitanregendsten Kämmen ausgesucht. Doch seine Verstimmung verflog rasch. Meine Schwester Margot, die mit ihm am Kai stand, fand ihn gutgelaunt und voller Lust, das Fest weiterzufeiern, obwohl die Aspirintabletten ihm keine Linderung gebracht hatten. »Er sah nicht erkältet aus und dachte nur daran, was die Hochzeit gekostet hatte«, sagte sie zu mir. Cristo Bedoya, der bei ihnen stand, gab Zahlen bekannt, die das Staunen noch steigerten. Er hatte mit Santiago Nasar und mir bis kurz vor vier Uhr gezecht, war aber nicht zum Schlafen in sein Elternhaus gegangen, sondern hatte im Haus seiner Großeltern weitergeschwatzt. Dort erhielt er viele Angaben, die ihm für die Kostenrechnung des Gelages gefehlt hatten. Er erzählte, für die Gäste seien vierzig Puter und elf Schweine geschlachtet worden sowie vier Kälber, die der Bräutigam auf dem Dorfplatz für das Volk braten ließ. Er erzählte weiter, zweihundertundfünf Kisten mit geschmuggeltem Alkohol seien verbraucht und fast zweitausend Flaschen Rum unter die Menge verteilt worden. Jeder arme oder reiche Mann im Ort habe auf irgendeine Weise an dem ärgerlichsten Saufgelage teilgenommen, welches das Dorf je erlebt habe. Santiago Nasar träumte mit lauter Stimme:

»So wird mein Hochzeitsfest sein«, sagte er. »Das Leben der Leute wird nicht lang genug sein, um davon zu erzählen.«

Meine Schwester fühlte einen Engel vorübergehen. Noch einmal dachte sie an das gute Glück Flora Miguels, die so vieles im Leben besaß und außerdem zu Weihnachten dieses Jahres Santiago Nasar besitzen würde. »Mit einemmal wurde mir bewußt, daß es keine bessere Partie gab als ihn«, sagte sie zu mir. »Stell dir vor: schön, guterzogen und mit einundzwanzig Jahren ein eigenes Vermögen.« Sie pflegte ihn zum Frühstück in unser Haus einzuladen, wenn es Yuccapasteten gab, und meine Mutter bereitete sie an jenem Morgen zu. Santiago Nasar sagte begeistert zu.

»Ich ziehe mich um und komme nach«, sagte er und erinnerte sich daran, daß er seine Uhr auf dem Nachttisch liegengelassen hatte. »Wieviel Uhr ist es?«

Es war sechs Uhr fünfundzwanzig. Santiago Nasar griff nach Cristo Bedoyas Arm und nahm ihn zum Platz mit.

»In einer Viertelstunde bin ich bei dir zu Hause«, sagte er zu meiner Schwester.

Sie beharrte darauf, daß sie unverzüglich zusammen aufbrächen, das Frühstück stehe auf dem Tisch. »Es war ein seltsames Beharren«, sagte Cristo Bedoya zu mir. »So seltsam, daß ich bisweilen gedacht habe, Margot habe bereits gewußt, daß man ihn töten würde, und wollte ihn daher in deinem Haus verbergen.«

Trotzdem überredete sie Santiago Nasar, vorauszugehen, während er sein Reitzeug anzog, denn er mußte rechtzeitig im »Göttlichen Antlitz« zum Kastrieren von Kälbern sein. Er verabschiedete sich von ihr mit dem gleichen Winken der Hand, mit dem er sich von seiner Mutter verabschiedet hatte, und entfernte sich, bei Cristo Bedoya eingehakt, in Richtung Platz. Das war das letzte Mal, daß sie ihn sah.

Viele der im Hafen Versammelten wußten, daß sie Santiago Nasar töten würden. Don Lázaro Aponte, Oberst der Kriegsakademie im wohlverdienten Ruhestand und seit etwa elf Jahren Bürgermeister der Gemeinde, schnippte ihm einen Fingergruß zu. »Ich hatte gute Gründe anzunehmen, daß er keinerlei Gefahr mehr lief«, sagte er zu mir. Auch Pater Carmen Amador hegte keinerlei Besorgnis. »Als ich ihn so gesund und munter sah, dachte ich, das Ganze sei eine Ente«, sagte er zu mir. Niemand stellte überhaupt die Frage, ob Santiago Nasar gewarnt worden war, weil es allen unmöglich schien, daß es nicht der Fall sein könnte.

In Wirklichkeit war meine Schwester Margot eine der wenigen Personen, die noch immer nicht wußten, daß sie ihn töten würden. »Hätte ich es gewußt, ich hätte ihn zu mir nach Hause geschleppt, notfalls gefesselt«, erklärte sie dem Untersuchungsrichter. Es war sonderbar, daß sie es nicht wußte, doch viel sonderbarer war, daß auch meine Mutter es nicht wußte, denn sie erfuhr alles früher als die übrigen im Haus, obwohl sie seit Jahren nicht mehr ausging – nicht einmal mehr zur Messe. Ich wußte diese Tugend zu schätzen, seit ich früh aufstand, um in die Schule zu gehen. Ich fand sie, wie sie in jenen Zeiten gewesen war, fahl und schweigsam, während sie den Innenhof mit einem Reisigbesen fegte, im aschgrauen Glanz des Tagesanbruchs; und bei einer Tasse Kaffee erzählte sie mir dann, was in der Welt geschehen war, während wir schliefen. Sie schien geheime Verbindungsfäden zu den anderen Leuten des Dorfs zu unterhalten, besonders zu Menschen ihres Alters, und gelegentlich überraschte sie uns mit vorweggenommenen Nachrichten, die sie nur dank ihrer Hellsichtigkeit wissen konnte. An jenem Morgen allerdings fühlte sie nicht das Beben des Trauerspiels, das sich seit drei Uhr in der Frühe anbahnte. Sie hatte gerade den Innenhof zu Ende gefegt, und als meine Schwester Margot sie traf, als sie zum Empfang des Bischofs fortging, war sie beim Mahlen der Jukkawurzeln für die Pasteten. »Man hörte Hähne krähen«, pflegt meine Mutter zu sagen, wenn sie sich an jenen Tag erinnert. Doch sie verband die fernen Hahnenschreie nie mit der Ankunft des Bischofs, sondern mit dem letzten Holdrio der Hochzeit.

Unser Haus lag weit vom Hauptplatz entfernt mit der Front zum Fluß in einem Mangowäldchen. Meine Schwester Margot war auf dem Uferweg zum Hafen gegangen, und die Leute waren durch den Besuch des Bischofs viel zu aufgeregt, um sich um andere Neuigkeiten kümmern zu können. Sie hatten die Betten der Kranken in die Haustüren gestellt, damit diese die Medizin Gottes empfingen, und die Frauen rannten aus den Innenhöfen mit Putern, Spanferkeln und allerlei Eßbarem, und vom gegenüberliegenden Flußufer kamen blumengeschmückte Kanus angerudert. Doch nachdem der Bischof vorübergefahren war, ohne seine Spur an Land hinterlassen zu haben, nahm die andere, verdrängte Nachricht das Ausmaß eines Ärgernisses an. Nun erfuhr meine Schwester Margot sie vollständig und in ihrer ganzen Grausamkeit: Angela

Vicario, das bildschöne Mädchen, das am Vortag geheiratet hatte, war in ihr Elternhaus zurückgeschickt worden, weil ihr Ehemann festgestellt hatte, daß sie keine Jungfrau mehr war. »Ich hatte das Gefühl, als sei ich es, die sterben würde«, sagte meine Schwester. Doch je häufiger der Bericht rückwärts und vorwärts gedreht wurde, desto weniger konnte mir jemand erklären, weshalb der arme Santiago Nasar am Ende in einen derartigen Handel verwickelt worden war. Das einzige, was man mit Sicherheit wußte, war, daß Angela Vicarios Brüder auf ihn warteten, um ihn zu töten.

Meine Schwester ging heim und biß sich die Lippen wund, um nicht zu weinen. Sie fand meine Mutter im Eßzimmer in ihrem blaugeblümten Sonntagskleid, das sie angezogen hatte, für den Fall, daß der Bischof vorbeikäme, um uns zu begrüßen, und während sie den Tisch deckte, sang sie das Fado-Lied von der unsichtbaren Liebe. Meine Schwester bemerkte, daß ein Gedeck mehr als gewöhnlich aufgelegt war.

»Das ist für Santiago Nasar«, sagte meine Mutter zu ihr. »Man hat mir gesagt, du hättest ihn zum Frühstück eingeladen.«

»Nimm's weg«, sagte meine Schwester.

Dann erzählte sie. »Aber es war, als wisse sie es bereits«, sagte sie zu mir. »Es war wie immer: Man beginnt ihr etwas zu erzählen, und bevor die Erzählung bis zur Hälfte gediehen ist, weiß sie schon, wie sie endet.« Jene böse Nachricht war für meine Mutter ein offenes Geheimnis. Man hatte Santiago Nasar nach ihr benannt, sie war seine Taufpatin, sie war aber auch blutsverwandt mit Pura Vicario, der

Mutter der zurückgeschickten Braut. Trotzdem hatte sie die Nachricht noch nicht zu Ende gehört, als sie bereits ihre hochhackigen Schuhe und die Kirchenmantille anlegte, die sie nur bei Beileidsbesuchen trug. Mein Vater, der all das vom Bett aus gehört hatte, erschien im Pyjama im Eßzimmer und fragte besorgt, wohin sie gehe.

»Um meine Gevatterin Plácida zu warnen«, erwiderte sie. »Es ist nicht recht, wenn alle Welt weiß, daß sie ihren Sohn töten werden, und sie allein weiß es nicht.«

»Wir haben zu den Vicarios eine ebenso enge Beziehung wie zu ihr«, sagte mein Vater.

»Man muß immer auf der Seite des Toten sein«, sagte sie.

Meine jüngeren Brüder tauchten langsam aus den anderen Zimmern auf. Die kleinsten, angerührt vom Hauch des Trauerspiels, brachen in Tränen aus. Meine Mutter achtete einmal in ihrem Leben nicht auf sie und schenkte auch ihrem Mann keine Aufmerksamkeit.

»Warte, ich zieh' mich an«, sagte er zu ihr.

Sie war schon auf der Straße. Mein Bruder Jaime, damals erst sieben Jahre alt, war der einzige, der für die Schule angekleidet war.

»Begleite du sie«, befahl mein Vater.

Jaime rannte hinter ihr her, ohne zu wissen, was los war und wohin sie gingen, und klammerte sich an ihre Hand. »Sie ging und sprach vor sich hin«, sagte Jaime zu mir. »Bösartige Gesellen«, sagte sie sehr leise, »Scheißkerle, zu nichts anderem fähig, als Unheil zu stiften.« Sie merkte nicht einmal, daß sie den kleinen Jungen an der Hand führte. »Sie mußten denken, ich sei übergeschnappt«, sagte sie zu mir. »Das einzige, woran ich mich erinnere, ist, daß in der Ferne der Lärm eines Menschenauflaufs zu hören war, als habe das Hochzeitsfest von neuem begonnen, und daß alle Welt in Richtung Platz rannte.« Sie beschleunigte ihre Schritte mit der Entschlossenheit, zu der sie fähig war, wenn ein Leben am seidenen Faden hing, bis jemand, der in entgegengesetzter Richtung rannte, sich ihres Fieberwahns erbarmte.

»Bemühen Sie sich nicht, Luisa Santiago«, schrie er ihr im Vorübereilen zu. »Sie haben ihn schon getötet.«

Bayardo San Román, der Mann, der seine Ehefrau zurückgab, war zum ersten Mal im August des vergangenen Jahres hier aufgetaucht: sechs Monate vor der Hochzeit. Er kam auf dem wöchentlichen Schiff mit einigen Reisesäcken mit Silberverzierung, die zu seiner Gürtelschnalle und den Ösen seiner Schnürstiefel paßte. Er war um die Dreißig, sah aber jünger aus, denn er hatte die Taille eines jungen Stierkämpfers, goldene Augen und eine wie von Schwefel gleichmäßig getönte Haut. Er kam in einem kurzen Jackett und einer sehr engen Hose, beides aus echtem Kalbsleder, dazu gleichfarbige Handschuhe aus Chevreauleder. Magdalena Oliver war mit ihm auf dem Dampfer gereist und konnte während der Fahrt nicht den Blick von ihm lassen. »Er wirkte wie ein Schwuler«, sagte sie zu mir. »Und das war schade, denn er war so, daß man ihn mit Butter bestrichen lebendig auffressen wollte.« Sie war nicht die einzige, die das dachte, auch nicht die letzte, die merkte, daß Bayardo San Román kein Mann war, den man auf den ersten Blick einschätzen konnte.

Meine Mutter schrieb mir Ende August ins Internat und merkte beiläufig an: »Ein sehr seltsamer Mann ist gekommen.« Im folgenden Brief sagte sie: »Der seltsame Mann heißt Bayardo San Román, und alle Welt sagt, er sei bezaubernd, aber ich habe ihn nicht gesehen.« Niemand hat je erfahren, wozu er gekommen war. Einem, der nicht der Verlockung widerstand, ihn kurz vor der Hochzeit auszufragen, erwiderte er: »Ich zog von Dorf zu Dorf auf der Suche nach einer zum Heiraten.« Es mochte wahr sein, aber er hätte genausogut etwas anderes erwidern können, denn er hatte eine Art zu reden, die ihm eher dazu diente, etwas zu verschleiern als es auszusprechen.

An dem Abend, an dem er ankam, gab er im Kino zu verstehen, er sei Eisenbahningenieur, und sprach von der Dringlichkeit, eine Eisenbahnlinie ins Innere zu bauen, um von den Launen des Flusses unabhängig zu sein. Am nächsten Tag mußte er ein Telegramm abschicken, übermittelte es selber auf dem Taster und brachte außerdem dem Telegrafisten seine eigene Methode bei, wie dieser die ausgebrannten Batterien weiter verwenden konnte. Mit der gleichen Sachkenntnis hatte er mit einem durchreisenden Militärarzt, der in jenen Monaten die Aushebungen durchführte, über Grenzkrankheiten gesprochen. Lange lärmende Feste gefielen ihm, er war aber auch ein standfester Trinker, ein Schlichter von Streitereien und Feind von Taschenspielertricks. Eines Sonntags nach der Messe forderte er die geübtesten Schwimmer, deren es viele gab, heraus und ließ bei einer Durchquerung des Flusses, hin und zurück, die besten um zwanzig Stöße hinter sich. Meine Mutter erzählte es mir in einem Brief und schloß mit einer ihr eignen Bemerkung: »Er scheint auch in Gold zu schwimmen.« Dies entsprach der damaligen Legende, Bayardo San Román sei nicht nur imstande, alles zu machen und es sehr gut zu machen, sondern verfüge außerdem über unerschöpfliche Mittel.

Meine Mutter gab ihm in einem Brief vom Oktober schließlich auch ihren Segen: »Er ist hier sehr beliebt«, schrieb sie, »weil er ehrenhaft und gutherzig ist, am vergangenen Sonntag hat er kniend das Abendmahl empfangen und bei der Messe auf Lateinisch ministriert.« Zu jener Zeit war es nicht erlaubt, das Abendmahl stehend zu empfangen, und die Messe wurde auf Lateinisch zelebriert; doch meine Mutter hat die Gewohnheit, dergleichen überflüssige Erklärungen abzugeben, wenn sie den Dingen auf den Grund gehen will. Trotzdem schrieb sie nach diesem weihevollen Urteil noch zwei Briefe, in denen sie Bayardo San Román nicht mehr erwähnte, auch dann nicht, als es aller Welt bekannt war, daß er Angela Vicario heiraten wollte. Erst lange nach der unglückseligen Hochzeit gestand sie mir, daß sie es gewußt hatte, als es bereits zu spät war, um ihren Oktoberbrief zu berichtigen, und daß seine goldenen Augen sie vor Schreck hatten erzittern lassen.

»Er kam mir vor wie der Teufel«, sagte sie zu mir, »aber du hast mir selbst gesagt, solche Dinge soll man nicht schriftlich weitergeben.«

Ich lernte ihn kurz nach ihr kennen, als ich in den Weihnachtsferien nach Hause kam, und fand ihn nicht so seltsam, wie behauptet wurde. Er schien mir in der Tat anziehend, doch weit entfernt von Magdalena Olivers idyllischer Vorstellung. Er schien mir ernsthafter, als seine Keckheiten vermuten ließen. Ich hatte den Eindruck, daß er mit seinen übertriebenen Witzeleien seine innere Spannung verbergen wollte. Aber vor allem schien er mir ein todtrauriger Mensch zu sein. Zu jener Zeit hatte er seine Liebelei mit Angela Vicario schon durch die Verlobung beglaubigt.

Es wurde nie genau bekannt, wie sie sich kennengelernt hatten. Die Besitzerin der Männerpension, in der Bayardo San Román wohnte, erzählte, er habe Ende September seine Mittagsruhe in einem Schaukelstuhl im Wohnzimmer gehalten, als Angela Vicario und ihre Mutter mit zwei Körben voller künstlicher Blumen den Platz überquerten. Bayardo San Román erwachte halb, sah die beiden in unbarmherziges Schwarz gekleideten Frauen, die in der Zwei-Uhr-Nachmittags-Mattigkeit die einzigen Lebewesen zu sein schienen, und fragte, wer die Jüngere sei. Die Besitzerin erwiderte, sie sei die jüngste Tochter der Frau, die sie begleitete, und heiße Angela Vicario. Bayardo San Román sah ihnen nach bis zum äußersten Ende des Platzes.

»Der Name steht ihr«, sagte er.

Und schon lehnte er den Kopf im Schaukelstuhl zurück und schloß von neuem die Augen.

»Wenn ich aufwache«, sagte er, »erinnern Sie mich daran, daß ich sie heiraten werde.«

Angela Vicario erzählte mir, die Pensionsbesitzerin habe ihr von diesem Vorfall berichtet, noch bevor Bayardo San Román ihr seine Liebe erklärte. »Ich bin sehr erschrocken«, sagte sie zu mir. Drei Personen, die in der Pension waren, bestätigten, daß der Vorfall sich ereignet hatte, doch vier andere hielten dies nicht für verbürgt. Dagegen stimmten alle Lesarten darin überein, daß Angela Vicario und Bayardo San Román sich offiziell zum ersten Mal bei den Festlichkeiten des Nationalfeiertags im Oktober gesehen hätten, während einer Wohltätigkeitsveranstaltung, bei der sie die Tombolagewinne ausrief. Bayardo San Román kam zum Wohltätigkeitsfest und ging sofort zu dem Stand, wo er von der in tiefe Trauer gekleideten, matt dreinblickenden Tombola-Ausruferin bedient wurde. Er fragte sie, wieviel das Trichtergrammophon mit Perlmuttintarsien koste, das die größte Attraktion des Volksfestes sein sollte. Sie erwiderte, es sei nicht zum Verkaufen, sondern zum Verlosen.

»Um so besser«, sagte er. »So wird es leichter und außerdem billiger zu haben sein.«

Sie gestand mir, daß er sie zu beeindrucken vermocht hatte, jedoch aus Gründen, die denen der Liebe widersprachen. »Ich verabscheute hochmütige Männer und hatte noch nie einen erlebt, der sich so viel einbildete«, sagte sie zu mir, als sie jenen Tag beschwor. »Außerdem dachte ich, er sei Pole.« Ihr Widerstreben nahm zu, als sie unter allgemeiner Spannung das Tombolalos für das Grammophon ausrief, und Bayardo San Román es tatsächlich gewann. Sie vermochte sich nicht vorzustellen, daß er, nur um sie zu beeindrucken, alle Lose aufgekauft hatte.

In jener Nacht, als Angela Vicario nach Hause kam, fand sie das in Geschenkpapier gewickelte und mit einer Organzaschleife geschmückte Grammophon vor. »Ich habe nie herausfinden können, woher er wußte, daß es mein Geburtstag war«, sagte sie zu mir. Sie hatte Mühe, ihre Eltern davon zu überzeugen, daß sie Bayardo San Román keinerlei Anlaß gegeben hatte, ihr ein derartiges Geschenk zu schicken, und noch weniger, es auf eine so auffällige Weise zu tun, die niemandem verborgen bleiben konnte. Daher trugen ihre älteren Brüder Pedro und Pablo das Grammophon ins Hotel, um es seinem Besitzer zurückzugeben, und sie erregten dabei so viel Aufsehen, daß jeder, der gesehen hatte, wie der Apparat gebracht wurde, auch sah, wie er zurückgebracht wurde. Mit einem hatte die Familie nicht gerechnet – mit Bayardo San Románs unwiderstehlichem Charme. Die Zwillinge erschienen erst im Morgengrauen des nächsten Tages wieder, von dem Besäufnis benebelt, sie brachten das Grammophon zurück und brachten außerdem Bayardo San Román mit, um das Gelage zu Hause fortzusetzen.

Angela Vicario war die jüngste Tochter einer bescheiden begüterten Familie. Ihr Vater, Poncio Vicario, war Goldschmied für arme Leute, und hatte sein Augenlicht eingebüßt, weil er zu viele goldene Schmuckstücke angefertigt hatte, um die Ehre des Hauses aufrechtzuerhalten. Purísima del Carmen, ihre Mutter, war Lehrerin gewesen, bis sie sich verehelicht hatte. Ihr sanftes und leicht bekümmertes Aussehen überdeckte sehr gut die Strenge ihres Charakters. »Sie glich einer Nonne«, erinnert sich Mercedes. Purísima del Carmen widmete sich mit solchem Opfersinn der Betreuung ihres Ehemanns und der Erziehung ihrer Kinder, daß man bisweilen vergaß, daß sie noch da war. Die beiden älteren Töchter hatten sehr spät geheiratet. Außer den Zwillingen hatte sie eine dazwischen geborene, am Abendfieber verstorbene Tochter, und noch zwei Jahre später trugen sie im Hause halbe, auf der Straße jedoch strenge Trauer. Die Brüder wurden erzogen, um Männer zu werden. Die Mädchen waren ausgebildet worden, um zu heiraten. Sie verstanden sich aufs Sticken im Rahmen, aufs Nähmaschinennähen, aufs Klöppeln von Spitzen, aufs Waschen und Bügeln, aufs Herstellen von künstlichen Blumen und phantasievollen Süßspeisen, aufs Abfassen von Verlobungsanzeigen. Im Gegensatz zu den jungen Mädchen jener Zeit, die den Todeskult vernachlässigt hatten, waren die vier Meisterinnen in der uralten Wissenschaft, bei Kranken zu wachen, Sterbende zu trösten und Tote ins Leichentuch zu hüllen. Das einzige, was meine Mutter ihnen vorwarf, war ihre Gewohnheit, sich vor dem Schlafengehen zu kämmen. »Mädchen«, sagte sie zu ihnen, »kämmt euch nicht nachts, denn dann verspäten sich die Seefahrer.« Abgesehen davon dachte sie, es gäbe keine besser erzogenen Töchter. »Sie sind perfekt«, hörte ich sie häufig sagen. »Jeder Mann wird mit ihnen glücklich werden, denn sie sind dazu erzogen worden, zu leiden.« Trotzdem war es den Männern, die dann die beiden Älteren geheiratet hatten, schwergefallen, den Bann zu brechen, denn die Mädchen gingen immer gemeinsam aus, veranstalteten Tanzereien nur für weibliche Wesen und neigten dazu, bei den Männern unlautere Absichten zu wittern.

Angela Vicario war die schönste der vier, und meine Mutter sagte, sie sei wie die großen Königinnen der Geschichte geboren worden: mit der Nabelschnur um den Hals. Und doch wirkte sie hilflos und geistig arm, und das verhieß eine ungewisse Zukunft. Ich sah sie Jahr für Jahr während meiner Weihnachtsferien, und jedes Mal sah sie verlassener aus am Fenster ihres Elternhauses, wo sie nachmittags saß, Stoffblumen anfertigte und mit ihren Nachbarinnen Walzer für ledige Mädchen sang. »Sie sieht aus, als hänge sie auf der Wäscheleine«, sagte Santiago Nasar zu mir, »deine Kusine, das Dummerchen«. Kurz vor dem Tod ihrer Schwester, traf ich sie zum ersten Mal auf der Straße, plötzlich wie eine Frau gekleidet und mit gekräuseltem Haar. Ich konnte kaum glauben, daß sie es war. Doch es war die Vision eines Augenblicks. Ihre geistige Armut hatte sich mit den Jahren vertieft. Als man erfuhr, Bayardo San Román wolle sie heiraten, dachten daher viele, das sei die Niedertracht eines Fremden.

Die Familie dachte nicht so, sondern nahm ihn mit Freuden in ihr Haus auf. Mit Ausnahme von Pura Vicario, welche die Bedingung stellte, Bayardo San Román müsse sich ausweisen. Bis dahin wußte niemand, wer er war. Seine Vergangenheit ging nicht über jenen Nachmittag zurück, an dem er in seinem Künstlerstaat gelandet war, und er äußerte sich über seine Herkunft so zurückhaltend, daß selbst das schwachsinnigste Gerücht wahr sein konnte. Es hieß sogar, er habe Dörfer dem Erdboden gleichgemacht und als Truppenbefehlshaber Schrecken in Casanare gesät, er sei aus Cayenne entwichen, er sei in Pernambuco gesichtet worden, wo er versucht habe, sich mit einem Paar abgerichteter Tanzbären durchzuschlagen, er habe auch die Überreste einer goldbeladenen spanischen Galeone in der Windward-Passage gehoben. Bayardo San Román bereitete all den Mutmaßungen mit einem einfachen Hilfsmittel ein Ende: Er brachte seine Familie vollzählig mit.

Es waren vier: der Vater, die Mutter und zwei aufsehenerregende Schwestern. Sie kamen in einem Ford Modell T mit amtlichem Nummernschild, dessen quäkende Hupe die Leute um elf Uhr vormittags aufschreckte. Die Mutter, Alberta Simonds, eine mächtige Mulattin aus Curaçao, die ein noch mit Papiamento durchsetztes Spanisch sprach, war in ihrer Jugend zur Schönsten der zweihundert Schönsten der Antillen proklamiert worden. Die soeben erblühten Schwestern glichen zwei rastlosen Fohlen. Aber der Trumpf war der Vater: General Petronio San Román, Held aus den Bürgerkriegen des vorigen Jahrhunderts, und eine der größten Ruhmesgestalten des konservativen Regimes, weil er Oberst Aureliano Buendía beim Verhängnis von Tucurinca in die Flucht geschlagen hatte. Meine Mutter war die einzige, die ihn nicht begrüßte, als sie erfuhr, wer er war. »Es leuchtete mir sehr ein, daß sie heiraten sollten«, sagte sie zu mir. »Doch das war eines, und etwas ganz anderes war, einem Mann die Hand zu reichen, der befohlen hatte, Gerineldo Márquez von hinten zu erschießen.« Als er mit seinem weißen Hut aus dem Fenster des Automobils winkte, erkannten ihn alle von seinen berühmten Abbildungen her. Er trug einen weizengelben Leinenanzug, Korduanlederstiefel mit Kreuzschnürung und auf dem Nasenrücken einen goldgerahmten Zwicker mit einem Goldkettchen, das im Knopfloch seiner Weste befestigt war. Er trug die Tapferkeitsmedaille am Rockaufschlag und einen Stock, in dessen Knauf das Landeswappen geschnitzt war. Er stieg als erster aus dem vom glühenden Staub unserer schlechten Straßen bedeckten

Automobil, aber man brauchte ihm nur auf dem Fahrersitz zu sehen, und alle Welt wußte, daß Bayardo San Román heiraten konnte, wen er wollte.

Es war Angela Vicario, die ihn nicht heiraten wollte. »Er war mir zu männlich«, sagte sie zu mir. Außerdem hatte Bayardo San Román nicht einmal sie zu umwerben versucht, sondern bezauberte einfach die Familie mit seinem Charme. Angela Vicario vergaß nie das Entsetzen jenes Abends, als ihre im Wohnzimmer des Hauses versammelten Eltern und ältesten Schwestern samt Ehemännern ihr die Verpflichtung auferlegten, einen Mann zu heiraten, den sie kaum gesehen hatte. Die Zwillinge verhielten sich abwartend. »Für uns war all das Weiberkram«, sagte Pablo Vicario zu mir. Das ausschlaggebende Argument der Eltern war, daß eine dank ihrer bescheidenen Lebenshaltung angesehene Familie kein Recht hatte, diese Gabe des Schicksals zu verschmähen. Angela Vicario wagte lediglich, auf einen Nachteil hinzuweisen: die fehlende Liebe, doch ihre Mutter machte den Einwand mit einem einzigen Satz zunichte:

»Auch Liebe erlernt sich.«

Im Unterschied zu den Verlobungen jener Zeit, die langfristig geplant waren und überwacht wurden, dauerte die ihre infolge von Bayardo San Románs Drängen nur vier Monate. Sie war nur deshalb nicht noch kürzer, weil Pura Vicario forderte, daß das Ende der Familientrauer abgewartet werde. Doch die Zeit ging durch die unwiderstehliche Art, mit der Bayardo San Román die Dinge regelte, ohne Beklemmungen zu Ende. »Eines Abends fragte er mich, welches Haus mir am besten gefiele«, erzählte mir Angela Vicario. »Und ich antwortete, ohne zu wissen, was es damit auf sich habe, das hübscheste Haus des Dorfes sei das Landhaus des Witwers de Xius.« Ich hätte das gleiche gesagt. Es lag auf einem vom Wind kahlgefegten Hügel, und von der Terrasse sah man das grenzenlose Paradies der mit maulbeerfarbenen Anemonen bedeckten Sümpfe, und an klaren Sommertagen konnte man sogar deutlich den Horizont der Karibik sehen und die Vergnügungsdampfer von Cartagena de Indias. Am selben Abend ging Bayardo San Román in den Gesellschaftsklub und setzte sich an den Tisch des Witwers de Xius, um eine Partie Domino mit ihm zu spielen.

»Witwer«, sagte er zu ihm. »Ich kaufe Ihnen Ihr Haus ab.«

»Es ist nicht zu verkaufen«, sagte der Witwer.

»Ich kaufe es mit dem gesamten Inhalt.«

Der Witwer de Xius erklärte mit altmodischer Wohlerzogenheit, die Gegenstände des Hauses seien von seiner Frau in einem langen entsagungsvollen Leben gekauft worden und daher für ihn nach wie vor ein Stück von ihr. »Er sprach mit dem Herzen in der Hand«, sagte mir Doktor Dionisio Iguarán, der mit den beiden gespielt hatte. »Ich war sicher, er würde lieber sterben, als ein Haus verkaufen, in dem er über dreißig Jahre lang glücklich gewesen war.« Auch Bayardo San Román verstand diese Beweggründe.

»Einverstanden«, sagte er. »Dann verkaufen Sie mir das Haus leer.«

Doch der Witwer wehrte sich bis zum Ende der

Dominopartie. Nach drei Abenden kehrte Bayardo San Román besser gewappnet an den Dominotisch zurück.

»Witwer«, begann er wiederum. »Wieviel kostet das Haus?«

»Es hat keinen Preis.«

»Nennen Sie irgendeinen.«

»Ich bedaure, Bayardo«, sagte der Witwer, »aber Ihr jungen Leute versteht nichts von Herzensbedürfnissen.«

Bayardo San Román legte keine Denkpause ein.

»Sagen wir fünftausend Pesos«, sagte er.

»Spielen Sie sauber«, erwiderte der Witwer mit wachsamer Würde. »Dieses Haus ist nicht so viel wert.«

»Zehntausend«, sagte Bayardo San Román. »Bar auf die Hand, ein Schein auf dem anderen.«

Der Witwer blickte ihn mit tränenfeuchten Augen an. »Er weinte vor Wut«, sagte mir Doktor Dionisio Iguarán, der nicht nur Arzt, sondern auch Literat war. »Stell dir vor: eine so hohe Summe in Reichweite, und allein aus der Schwäche des Herzens nein sagen zu müssen.« Dem Witwer de Xius versagte die Stimme, aber er verneinte ohne Zögern mit dem Kopf.

»Dann tun Sie mir einen letzten Gefallen«, sagte Bayardo San Román. »Warten Sie hier fünf Minuten auf mich.«

Fünf Minuten später kehrte er tatsächlich mit den silberbeschlagenen Reisesäcken zum Gesellschaftsklub zurück und legte zehn Bündel zu je Tausend auf den Tisch, noch in der von der Staatsbank bedruckten Banderole. Der Witwer de Xius starb zwei

Monate später. »Er starb daran«, sagte Doktor Dionisio Iguarán. »Er war gesünder als wir, aber wenn man ihn abhorchte, hörte man die Tränen in seinem Herzen tropfen.« Denn er hatte nicht nur das Haus mit dem ganzen Inhalt verkauft, sondern Bayardo San Román auch noch gebeten, ihn nach und nach zu bezahlen, weil ihm nicht einmal zum Trost eine Truhe blieb, um so viel Geld aufzubewahren.

Niemand hätte gedacht und niemand hatte behauptet, daß Angela Vicario nicht Jungfrau sei. Man wußte von keinem früheren Verlobten von ihr, sie war mit ihren Schwestern unter der eisernen Obhut einer strengen Mutter aufgewachsen. Noch zwei Monate vor ihrer Eheschließung erlaubte Pura Vicario nicht, daß sie allein mit Bayardo San Román das Haus ansah, in dem sie wohnen würden, vielmehr begleiteten sie und der blinde Vater sie dorthin, um über ihre Ehre zu wachen. »Das einzige, worum ich Gott bat, war, er möge mir Mut geben, daß ich mich tötete«, sagte Angela Vicario zu mir. »Aber er hat ihn mir nicht gegeben.« Sie war so kopflos, daß sie beschloß, ihrer Mutter die Wahrheit zu erzählen, um sich von jenem Martyrium zu befreien, als ihre beiden einzigen Vertrauten, die ihr beim Stoffblumennähen am Fenster halfen, ihr die lobenswerte Absicht ausredeten. »Ich gehorchte ihnen blind«, sagte sie zu mir, »da sie mir eingeredet hatten, sie wüßten, wie man Männer hinters Licht führt.« Sie versicherten ihr, fast alle Frauen verlören ihre Jungfernschaft bei Unfällen in der Kindheit. Sie bestanden darauf, daß auch die schwierigsten Ehemänner sich mit allem abfänden, sofern niemand etwas davon erführe. Schließlich überzeugten sie sie davon, daß die meisten Männer so verängstigt in die Hochzeitsnacht gingen, daß sie ohne die Hilfe der Frau ohnehin nichts zustande brächten und in der Stunde der Wahrheit nicht für die eigenen Handlungen einzustehen vermöchten. »Das einzige, woran sie glauben, ist das, was sie auf dem Leintuch sehen«, sagten sie zu ihr. Daher brachten sie ihr Hebammenkniffe bei, damit sie den Verlust ihres Kleinods verschleiern und an ihrem ersten Morgen als Jungvermählte das Leintuch mit dem Ehrenflecken im sonnenhellen Innenhof ihres Hauses ausbreiten könne.

In dieser Illusion heiratete sie. Bayardo San Román seinerseits heiratete vermutlich in der Illusion, sein Glück mit dem ungewöhnlichen Gewicht seiner Macht und seines Vermögens erkauft zu haben, denn je größer die Pläne für das Fest wurden, desto mehr Wahnideen fielen ihm ein, wie es noch größer zu machen sei. Auch dachte er daran, die Hochzeit um einen Tag zu verschieben, als der Besuch des Bischofs angesagt wurde, damit dieser sie traue, doch Angela Vicario widersetzte sich der Absicht. »In Wahrheit«, sagte sie zu mir, »wollte ich nicht von einem Mann eingesegnet werden, der nur die Kämme der Hähne in seine Suppe schneidet und den ganzen restlichen Hahn in den Müll wirft.« Übrigens gewann das Hochzeitsfest auch ohne den bischöflichen Segen eine so wenig zu bändigende Eigengesetzlichkeit, daß es sogar Bayardo San Románs Händen entglitt und schließlich ein öffentliches Ereignis wurde.

General Petronio San Román und seine Familie kamen dieses Mal mit dem Galaschiff des Nationalkongresses angereist, das bis zum Ende des Fests am Kai vertäut blieb, und mit ihnen kamen viele erlauchte Personen, die jedoch in der Menge neuer Gesichter unbemerkt blieben. Sie brachten so viele Geschenke mit, daß der verkommene Bau des ersten Kraftwerks instand gesetzt werden mußte, um die herrlichsten von ihnen zur Schau zu stellen; die übrigen wurden gesammelt in das alte Haus des Witwers de Xius gebracht, das schon bereitstand, die Neuvermählten zu empfangen. Dem Bräutigam schenkten sie ein Kabriolett, auf dem in gotischen Lettern unter dem Markennamen sein Name eingraviert war. Der Braut schenkten sie ein reingoldenes Tafelservice für vierundzwanzig Personen. Außerdem brachten sie eine Ballett-Truppe mit und zwei Walzerorchester, die weder mit den örtlichen Kapellen noch mit den zahlreichen Gauchosängerinnen und Akkordeongruppen harmonisierten, die vom Lärm des Festes angelockt worden waren.

Die Familie Vicario wohnte in einem bescheidenen Haus mit Backsteinmauern und einem Palmendach, in dessen Luken im Januar die Schwalben nisteten. Es hatte eine fast vollständig mit Blumentöpfen besetzte vordere Terrasse und einen geräumigen Hinterhof mit Obstbäumen und frei herumlaufenden Hühnern. Im hinteren Teil des Hofs betrieben die Zwillinge eine Schweinezucht mit Schlachtstein und Tranchiertisch, eine nützliche häusliche Einnahmequelle, seit Poncio Vicario das Augenlicht verloren hatte. Das Geschäft hatte Pedro Vicario begonnen, doch als dieser zum Militärdienst abrückte, lernte auch sein Zwillingsbruder das Schlachterhandwerk.

Das Innere des Hauses reichte kaum als Wohnraum aus. Daher versuchten die älteren Schwestern ein Haus zu mieten, als sie merkten, welches Ausmaß das Fest annehmen würde. »Stell dir vor«, sagte Angela Vicario zu mir, »sie hatten an Plácida Lineros Haus gedacht, doch gottlob versteiften sich meine Eltern auf ihren alten Grundsatz: ›Entweder unsere Töchter heiraten in unserem Schweinekoben, oder sie heiraten nicht.‹« So frischten sie die ursprüngliche gelbe Farbe des Hauses auf; sie brachten die Türen in Ordnung, reparierten die Fußböden und verliehen dem Haus das für eine so aufwendige Hochzeit erforderliche möglichst würdevolle Aussehen. Die Zwillinge verfrachteten die Schweine an einen anderen Ort und kalkten den Schweinestall weiß, doch es war trotzdem klar, daß zu wenig Platz sein würde. Schließlich entfernten die Eltern auf Bayardo San Románs Betreiben den Hofzaun, baten die Nachbarn, ihre Häuser für den Tanz zur Verfügung zu stellen und stellten zum Bewirten der Gäste Schreinertische unter dem Laubwerk der Tamarinden auf.

Den einzigen unvorhergesehenen Zwischenfall verursachte der Bräutigam am Morgen der Hochzeit, denn er holte Angela Vicario mit zwei Stunden Verspätung ab, und sie hatte sich geweigert, das Brautkleid anzuziehen, solange sie ihn nicht unter dem Dach ihres Elternhauses sah. »Stell dir vor«, sagte sie zu mir, »es hätte mich sogar gefreut, wenn er nicht gekommen wäre, aber nicht, wenn er mich angezogen im Stich gelassen hätte.« Ihre Vorsicht schien natürlich, denn es gab für eine Frau kein beschämenderes öffentliches Mißgeschick, als im

Brautkleid sitzengelassen zu werden. Dagegen mußte die Tatsache, daß Angela Vicario wagte, Schleier und Orangenblüten anzulegen, ohne Jungfrau zu sein, hinterher als Entweihung der Reinheitssymbole gedeutet werden. Meine Mutter war die einzige, die das rückhaltlose Ausspielen gezinkter Karten als Mutprobe ansah. »Zu jener Zeit«, erklärte sie mir, »verstand Gott diese Dinge.« Hingegen weiß bis heute niemand, mit welchen Karten Bayardo San Román spielte. Von dem Augenblick an, da er schließlich erschien, in Cutaway und Zylinder, bis er mit dem Geschöpf seiner Qualen vom Ball floh, war er das vollkommene Abbild des glücklichen Bräutigams.

Ebensowenig hat man erfahren, mit welchen Karten Santiago Nasar spielte. Ich war mit ihm die ganze Zeit in der Kirche und auf dem Fest zusammen und mit Cristo Bedoya und meinem Bruder Luis Enrique, und keiner von uns spürte die geringste Veränderung in seinem Verhalten. Ich habe dies mehrmals wiederholen müssen, denn wir vier waren gemeinsam aufgewachsen, in derselben Schule gewesen und hatten zur selben Ferienbande gehört, und niemand konnte annehmen, daß wir ein Geheimnis und noch dazu ein so großes Geheimnis nicht geteilt hätten.

Santiago Nasar war ein Mann für Feste, und seinen größten Genuß erlebte er am Vorabend seines Todes, als er die Kosten der Hochzeit berechnete. In der Kirche schätzte er, daß Blumenschmuck im Wert von vierzehn Beerdigungen erster Klasse aufgewendet worden war. Dieser Genauigkeitsfimmel sollte mich noch viele Jahre verfolgen, denn Santiago Nasar hatte mir oft gesagt, der Geruch von muffigen Blumen stehe für ihn in unmittelbarer Beziehung zum Tod, und an jenem Tag wiederholte er dies beim gemeinsamen Betreten des Gotteshauses. »Ich will keine Blumen bei meiner Beerdigung«, sagte er zu mir, ohne zu ahnen, daß ich am nächsten Tag dafür sorgen mußte, daß keine gestreut würden. Auf dem Weg von der Kirche zum Haus der Vicarios stellte er die Kosten der bunten Girlanden zusammen, mit denen die Straßen geschmückt waren, er berechnete den Preis der Musik und des Feuerwerks und sogar des Hagels von ungeschältem Reis, mit dem wir auf dem Fest empfangen wurden. In der Mittagsmattigkeit machten die Jungvermählten die Runde im Innenhof. Bayardo San Román war unser Busenfreund, unser Kneipenfreund geworden, wie man damals sagte, und schien sich an unserem Tisch wohl zu fühlen. Angela Vicario ohne Schleier und Kränzchen im durchgeschwitzten Atlaskleid hatte auf einmal die Miene der verheirateten Frau aufgesetzt. Santiago Nasar rechnete und sagte zu Bayardo San Román, die Hochzeitskosten dürften sich bis zur Stunde auf etwa neuntausend Pesos belaufen. Offensichtlich faßte Angela Vicario das als Unverfrorenheit auf. »Meine Mutter hat mich gelehrt, daß man vor fremden Leuten nicht von Geld spricht«, sagte sie zu mir. Bayardo San Román hingegen nahm die Sache gutmütig und sogar mit einer gewissen Prahlsucht auf.

»Fast«, sagte er, »aber wir fangen ja erst an. Zum Schluß wird es mehr oder weniger das Doppelte sein.«

Santiago Nasar machte sich anheischig, dies bis

zum letzten Centavo auszurechnen, und sein Leben reichte gerade dazu aus. In der Tat wies er anhand der endgültigen Ziffern, die er am nächsten Tag im Hafen, fünfundvierzig Minuten bevor er starb, von Cristo Bedoya geliefert bekam, nach, daß Bayardo San Románs Prognose gestimmt hatte.

Ich hatte eine ziemlich wirre Erinnerung an das Fest bewahrt, bevor ich beschloß, es durch fremde Erinnerungen stückweise wiederherzustellen. Jahrelang war in meinem Elternhaus davon die Rede gewesen, daß mein Vater zu Ehren der Neuvermählten wieder auf seiner Jugendgeige gespielt, daß meine Schwester, die Nonne, in ihrer Tracht einer Klosterpförtnerin einen »Merengue« getanzt, daß Doktor Dionisio Iguarán, ein Vetter väterlicherseits meiner Mutter, durchgesetzt hatte, daß sie ihn mit dem offiziellen Schiff mitnahmen, um am nächsten Tag, wenn der Bischof käme, nicht mehr da zu sein. Im Verlauf der Nachforschungen für diese Chronik sammelte ich mehrere Randerlebnisse, unter ihnen die scherzhaften Erinnerungen an Bayardo San Románs Schwestern, deren Samtkleider mit den durch goldene Klemmen am Rücken befestigten großen Falterflügeln größere Aufmerksamkeit auslösten als der Federbusch und die Kriegsordenspanzerung ihres Vaters. Viele wußten, daß ich Mercedes Barcha, die damals gerade die Volksschule beendet hatte, im Festtaumel einen Heiratsantrag machte, wie auch sie selbst mich daran erinnerte, als wir vierzehn Jahre später heirateten. Das eindringlichste Bild, das ich von jenem unliebsamen Sonntag für immer bewahrt habe, war der alte Poncio Vicario, der allein auf seinem Hocker mitten im Innenhof saß. Man hatte ihn, vielleicht in der Annahme, es sei der Ehrenplatz, dorthin gesetzt, und die Gäste stießen mit ihm zusammen, verwechselten ihn mit jemand anderem, schoben ihn auf eine leere Sitzgelegenheit ab, damit er nicht störte, und er bewegte sein schneeweißes Haupt nach allen Seiten mit dem verwirrten Gesichtsausdruck eines jüngst Erblindeten, der Fragen beantwortete, die nicht ihm galten, und flüchtige Begrüßungen erwiderte, die niemand an ihn richtete, glücklich in seinem Umkreis des Vergessens, mit dem von Stärke steifen Hemd und dem Gujakspazierstock, den man ihm für das Fest gekauft hatte.

Der offizielle Teil endete um sechs Uhr abends, als die Ehrengäste sich verabschiedeten. Das Schiff fuhr ab mit strahlenden Lichtern und einer Schleppe aus Pianolawalzertönen, und einen Augenblick trieben wir über einen Abgrund aus Ungewißheit, bis wir uns gegenseitig wiedererkannten und uns ins Festgewoge stürzten. Kurz darauf erschienen die Neuvermählten im Automobil mit heruntergeklapptem Verdeck, das sich durch das Gewühl mühsam einen Weg bahnte. Bayardo San Román ließ Feuerwerkskörper knallen, trank Branntwein aus den Flaschen, die ihm die Menschenmenge reichte, und stieg mit Angela Vicario aus dem Wagen, um sich in den Rundtanz der Cumbiamba einzureihen. Zuletzt befahl er, wir sollten auf seine Rechnung weitertanzen, solange unser Leben reichte, und führte seine erschreckte Gemahlin in das Haus seiner Träume, in dem der Witwer de Xius glücklich gewesen war.

Das Volksvergnügen zersplitterte sich in Teilbelustigungen bis gegen Mitternacht, und nur Clotilde Armentas Laden auf einer Seite des Platzes blieb geöffnet. Santiago Nasar und ich gingen mit meinem Bruder Luis Enrique und Cristo Bedoya zu María Alejandrina Cervantes' Haus der Barmherzigkeiten. Dort erschienen mit vielen anderen auch die Brüder Vicario und tranken mit uns und sangen mit Santiago Nasar fünf Stunden, bevor sie ihn töteten. Vermutlich glühten noch verstreut einige Funkenherde des eigentlichen Festes, denn von überallher trug der Wind uns das Echo von Musik und fernen Streitereien zu, die immer matter klangen, bis schließlich das Horn des Bischofsschiffs aufheulte.

Pura Vicario erzählte meiner Mutter, sie habe sich um elf Uhr abends zu Bett gelegt, nachdem die ältesten Töchter ihr geholfen hatten, die Verwüstungen des Hochzeitsfestes etwas aufzuräumen. Gegen zehn Uhr, als noch einige Betrunkene im Innenhof sangen, hatte Angela Vicario wegen eines im Kleiderschrank ihres Schlafzimmers verwahrten Köfferchens mit persönlichen Gegenständen zu ihr geschickt, und sie selber wollte ihr auch eine Handtasche mit Tageswäsche mitgeben, doch der Bote hatte es eilig.

Sie hatte tief geschlafen, als an die Tür geklopft wurde. »Es waren drei sehr langsame Schläge«, erzählte sie meiner Mutter, »aber sie klangen seltsam nach schlechten Nachrichten.« Sie erzählte ihr, sie habe die Haustür geöffnet, ohne das Licht anzuzünden, um niemanden zu wecken, und sah Bayardo San Román im Schein der Straßenlampe im aufgeknöpften Seidenhemd und seiner durch Gummihosenträger festgehaltenen modischen Hose. »Er war grün wie in den Träumen«, sagte Pura Vicario zu meiner Mutter. Angela Vicario stand im Dunkeln, so daß sie sie erst sah, als Bayardo San Román sie am Arm packte und ins Licht zerrte. Ihr Atlaskleid hing in Fetzen, bis zur Taille war sie in ein Badetuch gewickelt. Pura Vicario glaubte, sie seien mit dem Automobil den Abhang hinuntergestürzt und unten tot liegengeblieben.

»Ave Maria Purissima«, sagte sie entsetzt. »Antwortet mir, wenn ihr noch von dieser Welt seid.«

Bayardo San Román trat nicht ein, sondern stieß seine Frau sanft ins Innere des Hauses, ohne ein Wort zu sprechen. Dann küßte er Pura Vicario auf die Wange und sprach zu ihr mit einer Stimme voll tiefster Mutlosigkeit, aber großer Zärtlichkeit.

»Dank für alles, Mutter«, sagte er zu ihr. »Sie sind eine Heilige.«

Nur Pura Vicario wußte, was sie in den nachfolgenden zwei Stunden tat, und ging mit ihrem Geheimnis in den Tod. »Das einzige, woran ich mich erinnere, ist, daß sie mich mit einer Hand festhielt und mit der anderen so wütend zuschlug, daß ich glaubte, sie werde mich umbringen«, erzählte mir Angela Vicario. Doch bei all dem gab sie so wenig Laut von sich, daß ihr Mann und ihre ältesten Töchter, die in den anderen Zimmern schliefen, bis zum Tagesanbruch, als das Verhängnis sich bereits erfüllt hatte, nichts erfuhren.

Die Zwillinge, von ihrer Mutter eilends herbeigerufen, kehrten kurz vor drei Uhr ins Haus zurück. Sie fanden Angela Vicario mit einem von Schlägen zerschundenen Gesicht auf dem Eßzimmersofa liegen, aber sie weinte nicht mehr. »Ich hatte keine Angst mehr«, sagte sie zu mir. »Im Gegenteil: ich hatte das Gefühl, als hätte ich endlich den Alptraum des Todes abgeschüttelt, und ich wünschte nur, alles möge rasch zu Ende gehen, damit ich mich ins Bett werfen und schlafen konnte.«

Pedro Vicario, der entschlossenere der Brüder, riß sie am Gürtel hoch und setzte sie an den Eßzimmertisch.

»Los, Mädchen«, sagte er, zitternd vor Wut, »sag uns, wer es war.«

Sie zögerte nur lange genug, um den Namen zu sagen. Sie suchte ihn in der Finsternis, fand ihn auf den ersten Blick unter so vielen, vielen dieser und der anderen Welt verwechselbaren Namen und nagelte ihn mit sicherem Pfeil an die Wand, wie einen wehrlosen Falter, dessen Todesurteil von vorneherein feststand.

»Santiago Nasar«, sagte sie.

Der Anwalt plädierte auf Totschlag in legitimer Verteidigung der Ehre, zugelassen als Gewissensentscheidung, und die Zwillinge erklärten am Schluß der Gerichtsverhandlung, sie würden es aus den gleichen Gründen tausendmal wieder tun. Sie selber ahnten schon das Rechtsmittel der Verteidigung voraus, als sie sich wenige Minuten nach dem Verbrechen vor ihrer Kirche ergaben. Keuchend drangen sie ins Pfarrhaus ein, auf den Fersen gefolgt von einer Horde erhitzter Araber, und legten die Messer mit blanker Klinge auf den Tisch Pater Amadors. Beide waren von der barbarischen Todesarbeit erschöpft. Kleider und Ärmel waren von Schweiß und noch warmem Blut getränkt, die Gesichter besudelt, aber der Pfarrer erinnerte sich an die Übergabe wie an eine Tat von hoher Würde.

»Wir haben ihn mit Absicht getötet«, sagte Pedro Vicario, »aber wir sind unschuldig.«

»Vielleicht vor Gott«, sagte Pater Amador.

»Vor Gott und vor den Menschen«, sagte Pablo Vicario. »Es war Ehrensache.«

Noch mehr: bei der Rekonstruktion der Tatsachen gaben sie vor, viel erbarmungsloser und erbitterter gewesen zu sein, als das wirklich der Fall war, und verstiegen sich zu der Erklärung, die von Messerstichen zersplitterte Haupttür vom Haus Plácida Lineros habe mit öffentlichen Geldern instand gesetzt werden müssen. Im Zuchthaus von Riohacha, in dem sie drei Jahre auf ihr Gerichtsurteil warteten, weil sie die Kaution für die vorläufige Entlassung aus der Haft nicht bezahlen konnten, erinnerten sich die ältesten Häftlinge an den guten Charakter und Gemeinschaftssinn der Zwillinge, hatten aber nie das geringste Anzeichen von Reue an ihnen festgestellt. Trotzdem schien festzustehen, daß die Brüder Vicario nichts getan hatten, um Santiago Nasar unverzüglich und ohne Aufsehen zu töten, vielmehr hatten sie mehr als alles Erdenkliche getan, damit jemand sie von ihrer Tat abhielt, und waren gescheitert.

Nach dem, was sie mir Jahre später erzählten, hatten sie ihn zuerst in María Alejandrina Cervantes' Haus gesucht, wo sie bis zwei Uhr mit ihm zusammengewesen waren. Diese Einzelheit wurde wie viele andere nicht ins Ermittlungsprotokoll aufgenommen. In Wirklichkeit war Santiago Nasar zu der Stunde, als die Zwillinge ihn dort gesucht haben wollten, nicht mehr da, weil wir zu einem Serenadenrundgang aufgebrochen waren. Außerdem steht keineswegs fest, daß sie dorthin gegangen sind. »Sie wären doch nie wieder fortgegangen«, sagte María Alejandrina Cervantes zu mir, und da ich sie so gut kannte, habe ich ihre Aussage nie angezweifelt. Dagegen warteten sie im Laden der Clotilde Armenta auf ihn, wo, wie sie wußten, die halbe Welt vorbeikam, nur nicht Santiago Nasar. »Sonst war nichts mehr offen«, erklärten sie dem Untersuchungsrichter. »Früher oder später mußte er dort rauskommen«, sagten sie zu mir, nachdem sie freigesprochen worden waren. Dabei wußte jedermann, daß der Haupteingang von Plácida Lineros Haus auch tagsüber von innen verriegelt war und daß Santiago Nasar die Schlüssel des hinteren Eingangs stets bei sich trug. Dort ging er in der Tat hinein, als er nach Hause kam, während die Zwillinge Vicario ihn seit über einer Stunde auf der anderen Seite erwarteten, und wenn er später durch die Haustür auf der Platzseite herauskam, um zum Empfang des Bischofs zu gehen, so war der Grund dafür so wenig nachzuvollziehen, daß auch der Untersuchungsrichter schließlich darauf verzichtete.

Es hat nie einen öfter angekündigten Tod gegeben. Nachdem die Schwester ihnen den Namen offenbart hatte, verließen die Zwillinge Vicario das Anwesen durch den Schweinestall, in dem sie die Schlachterwerkzeuge verwahrten, und wählten die beiden besten Messer: eines zum Schlachten, zehn Zoll lang und zweieinhalb breit, und ein anderes zum Säubern, sieben Zoll lang und eineinhalb breit. Sie wickelten sie in einen Wischlappen und gingen zum Schleifen der Messer zum Fleischmarkt, wo gerade die ersten Verkaufsstände aufmachten. Zunächst zeigten sich wenige Kunden, immerhin erklärten zweiundzwanzig Personen, sie hätten alles gehört, was die Brüder gesagt hätten, und alle stimmten in dem Eindruck überein, daß sie es allein in der Absicht gesagt hätten, gehört zu werden. Faustino Santos, ein ihnen befreundeter Schlachter, sah sie um drei Uhr zwanzig hereinkommen, als er gerade seinen Tisch mit Innereien aufgebaut hatte, und verstand nicht, warum sie an einem Montag, noch dazu so früh und überdies in ihren Hochzeitsanzügen aus dunklem Wollstoff, kamen. Er war gewohnt, sie freitags zu sehen, jedoch etwas später, mit ihren Lederschürzen, die sie zum Schlachten umbanden. »Ich dachte, sie seien so betrunken«, sagte Faustino Santos zu mir, »daß sie sich nicht nur in der Stunde, sondern auch im Tag geirrt hatten.« Er erinnerte sie daran, daß es Montag war.

»Wer weiß das nicht, Blödian«, entgegnete gutgelaunt Pablo Vicario. »Wir sind nur gekommen, um unsere Messer zu schleifen.«

Sie schärften sie am drehbaren Schleifstein, so wie sie es immer taten: Pedro hielt die beiden Messer und schliff sie abwechselnd am Stein, und Pablo bediente die Kurbel. Gleichzeitig redeten sie mit den anderen Fleischern von dem phantastischen Hochzeitsfest. Einige beschwerten sich darüber, nicht ihren Anteil Pasteten erhalten zu haben, obwohl sie doch Berufsgenossen waren, und die beiden versprachen, ihnen später entsprechende Rationen zu schicken. Schließlich ließen sie die Messer auf dem Stein singen, und Pablo hielt das seine an die Lampe, damit der Stahl funkelte.

»Wir wollen Santiago Nasar töten«, sagte er.

Ihr Ruf als anständige Leute war so begründet, daß niemand auf ihre Worte achtete. »Wir dachten, das seien Quatschereien von Besoffenen«, erklärten mehrere Fleischer, genau wie Victoria Guzmán und so viele andere, die sie später sahen. Ich mußte die Fleischer doch einmal fragen, ob jemand, der sich für den Beruf des Schlachters entscheidet, nicht auch eher dazu neigt, ein Menschenwesen zu töten. Sie erhoben Einspruch: »Wenn einer ein Kalb schlachtet, wagt er nicht, ihm in die Augen zu sehen.« Einer von ihnen sagte zu mir, er könne nicht das Fleisch des Tiers essen, das er vorher abgestochen habe. Ein anderer sagte mir, er sei außerstande, eine Kuh zu schlachten, die er vorher gekannt hatte, und schon gar nicht, wenn er ihre Milch getrunken habe. Ich erinnerte sie daran, daß die Brüder Vicario dieselben Schweine schlachteten, die sie züchteten, und die seien ihnen so vertraut, daß sie sie an ihren Namen erkannten. »Das stimmt«, erwiderte mir einer, »aber vergessen Sie nicht, daß sie ihnen nicht Menschennamen, sondern Blumennamen geben.« Faustino Santos war der einzige, der einen Schimmer von Wahrheit in Pablo Vicarios Drohung aufblitzen sah, und fragte ihn im Scherz, warum sie denn Santiago Nasar töten müßten, wo es so viele Reiche gäbe, die eher zu sterben verdienten.

»Santiago Nasar weiß, warum«, antwortete Pedro Vicario.

Faustino Santos erzählte mir, er habe seine Zweifel gehabt, und diese einem Polizisten weitergegeben, der kurz darauf vorbeigekommen sei, um ein Pfund Leber für das Frühstück des Bürgermeisters zu kaufen. Der Polizist hieß laut Beweisaufnahme Leandro Pornoy und starb im darauffolgenden Jahr während der Patronatsfestlichkeiten, weil ein Stier ihm sein Horn in die Schlagader gestoßen hatte. Daher konnte ich nie mit ihm sprechen, aber Clotilde Armenta bestätigte mir, daß er als erster in ihren Laden kam, als die Zwillinge Vicario sich zum Warten hingesetzt hatten.

Clotilde Armenta hatte gerade den Platz ihres Mannes an der Theke eingenommen. Das war ihr übliches System. Der Laden verkaufte frühmorgens Milch und während des Tages Lebensmittel und verwandelte sich von sechs Uhr abends an in einen Ausschank. Clotilde Armenta machte um drei Uhr dreißig morgens auf. Ihr Mann, der gute Don Rogelio de la Flor, übernahm den Ausschankdienst bis zum Schließen. Doch in jener Nacht waren so viele versprengte Hochzeitsgäste da, daß er sich nach drei Uhr schlafen legte, ohne geschlossen zu haben, und Clotilde Armenta war schon früher als gewöhnlich auf den Beinen, weil sie zumachen wollte, bevor der Bischof kam.

Die Brüder Vicario traten um vier Uhr zehn ein. Zu dieser Stunde wurde nur Eßbares verkauft, aber Clotilde Armenta verkaufte ihnen eine Flasche Zukkerrohrschnaps, nicht nur, weil sie die Brüder schätzte, sondern auch, weil sie ihnen für die Portion Hochzeitspasteten dankbar war, die sie ihr geschickt hatten. Sie leerten die ganze Flasche in zwei langen Zügen, aber es machte ihnen nichts. »Sie waren gelähmt«, sagte Clotilde Armenta zu mir, »und hätten auch mit Lampenpetroleum ihren Blutdruck nicht erhöhen können.« Bald darauf zogen sie die Tuchjacken aus, hängten sie behutsam über die Stuhllehnen und verlangten eine neue Flasche. Die Hemden waren schweißgetränkt, und ihr Zweitagebart verlieh ihnen ein bäurisches Aussehen. Die zweite Flasche tranken sie sehr langsam im Sitzen und starrten unbeirrt auf Plácida Lineros Haus gegenüber, dessen Fenster erloschen waren. Das größere Balkonfenster gehörte zu Santiago Nasars Schlafzimmer. Pedro Vicario fragte Clotilde Armenta, ob sie Licht in diesem Fenster gesehen habe, und sie antwortete, nein, doch zugleich fand sie seine Neugierde merkwürdig.

»Ist etwas mit ihm los?« fragte sie.

»Nein, nichts«, erwiderte ihr Pedro Vicario. »Nichts, als daß wir ihn suchen, um ihn zu töten.«

Das war eine so offene Antwort, daß sie nicht glauben konnte, sie beruhe auf Wahrheit. Aber sie bemerkte, daß die Zwillinge zwei in Küchentücher gewickelte Schlachtermesser bei sich hatten.

»Und darf man wissen, warum ihr ihn so früh morgens töten wollt?« fragte sie.

»Er weiß, warum«, erwiderte Pedro Vicario.

Clotilde Armenta musterte sie gründlich. Sie kannte die beiden so gut, daß sie sie unterscheiden konnte, besonders nachdem Pedro Vicario aus der Kaserne zurückgekehrt war. »Sie sahen aus wie zwei Buben«, sagte sie zu mir. Und diese Überlegung erschreckte sie, denn sie hatte immer gedacht, daß nur die Buben zu allem fähig seien. Und so richtete sie die Geräte für den Milchverkauf her und ging ihren Mann wecken, um ihm zu erzählen, was im Laden vorging. Don Rogelio de la Flor hörte ihr im Halbschlaf zu.

»Sei nicht blöd«, sagte er zu ihr, »die töten doch keinen, und am wenigsten einen Reichen.«

Als Clotilde Armenta in den Laden zurückkehrte, unterhielten die Zwillinge sich mit dem Polizisten Leandro Pornoy, der wegen der Milch für den Bürgermeister gekommen war. Sie hörte nicht, was die beiden redeten, vermutete indessen nach der Art, wie er beim Weggehen ihre Messer ansah, daß sie ihm etwas von ihrem Vorhaben angedeutet hatten.

Oberst Lázaro Aponte war kurz vor vier aufgestanden. Er beendete gerade seine Rasur, als der Polizist Leandro Pornoy ihm die Absichten der Brüder Vicario enthüllte. Der Oberst hatte in der vergangenen Nacht so viele Streitereien von Freunden geschlichtet, daß er es mit einer weiteren nicht eilig hatte. Er kleidete sich in aller Ruhe an, band sich die Fliege mehrmals, bis sie makellos saß, und hängte sich für den Empfang des Bischofs das Skapulier der Marienkongregation um den Hals. Während er eine mit Zwiebelringen garnierte geschmorte Leber zum Frühstück aß, erzählte ihm seine Frau höchst erregt, Bayardo San Román habe Angela Vicario zurückgeschickt, aber er nahm die Sache nicht so ernst. »Mein Gott«, scherzte er, »was wird der Bischof denken!«

Bevor er jedoch sein Frühstück beendete, erinnerte er sich an das, was ihm die Ordonnanz soeben gesagt hatte, brachte die beiden Nachrichten miteinander in Verbindung und entdeckte unverzüglich, daß sie genau zusammenpaßten wie zwei Stücke eines Puzzles. Dann ging er durch die Straße des neuen Hafens, deren Häuser sich durch die Ankunft des Bischofs zu beleben begannen, zum Platz. »Ich erinnere mich mit Sicherheit, daß es fast fünf war und zu regnen begann«, sagte Oberst Lázaro Aponte zu mir. Unterwegs hielten ihn drei Personen an, um ihm unter dem Siegel der Verschwiegenheit zu erzählen, die Brüder Vicario warteten auf Santiago Nasar, um ihn zu töten, doch nur eine von ihnen konnte ihm sagen, wo.

Er traf sie im Laden der Clotilde Armenta. »Als ich sie sah, dachte ich, es sei die reinste Angeberei«, sagte er mir mit seiner höchst persönlichen Logik, »denn sie waren nicht so betrunken, wie ich geglaubt hatte.« Er fragte sie nicht einmal über ihre Absichten aus, sondern nahm ihnen die Messer ab und schickte sie schlafen. Er behandelte sie mit der gleichen Selbstgefälligkeit, mit der er die Warnung seiner Frau übergangen hatte.

»Stellt euch vor«, sagte er zu ihnen, »was der

Bischof sagen wird, wenn er euch in diesem Zustand antrifft!«

Sie gingen fort. Clotilde Armenta erlebte eine weitere Enttäuschung wegen der Leichtfertigkeit des Bürgermeisters, denn sie dachte, er hätte die Zwillinge verhaften müssen, bis die Wahrheit ermittelt sei. Oberst Aponte zeigte ihr die Messer wie einen endgültigen Beweis.

»Jetzt können sie niemand mehr töten«, sagte er.

»Es geht nicht darum«, sagte Clotilde Armenta. »Es geht darum, die armen Burschen von der schrecklichen Verpflichtung zu befreien, die plötzlich auf ihren Schultern lastet.«

Sie hatte nämlich etwas begriffen. Sie war sicher, daß die Brüder Vicario weniger wild darauf waren, das Todesurteil zu vollstrecken, als jemanden zu finden, der ihnen den Gefallen tat, sie daran zu hindern. Doch Oberst Aponte war mit seiner Seele in Frieden. »Man nimmt niemand aus Verdacht fest«, sagte er. »Jetzt geht es darum, Santiago Nasar zu warnen, und glückliches Neues Jahr.«

Clotilde Armenta sollte sich immer daran erinnern, daß ihr Oberst Aponte mit seiner rundlichen Gestalt einen irgendwie unglücklichen Eindruck gemacht hatte, während er mir als durchaus glücklicher Mensch vorgekommen war, wenn auch ein wenig verstört durch die einsame Ausübung des in einem Fernkurs erlernten Spiritismus. Sein Verhalten an jenem Montag war der schlagende Beweis für seine Frivolität. In Wirklichkeit dachte er nicht mehr an Santiago Nasar, bis er ihn im Hafen sah, und nun beglückwünschte er sich dazu, die richtige Entscheidung getroffen zu haben.

Die Brüder Vicario hatten mehr als zwölf Personen, die zum Milchkauf gekommen waren, von ihrer Absicht erzählt, und diese hatten sie vor sechs Uhr überall weiterverbreitet. Es schien Clotilde Armenta unmöglich, daß man das im Haus gegenüber nicht wußte. Sie dachte, Santiago Nasar sei nicht daheim, denn sie hatte das Schlafzimmerlicht nicht angehen sehen, und jeden, den sie erreichte, bat sie, man möge ihn warnen, wo immer man ihn anträfe. Sie ließ es sogar Pater Amador ausrichten durch die Novizin vom Dienst, die für die Nonnen die Milch holen kam. Nach vier Uhr, als sie Licht in Plácida Lineros Küche sah, schickte sie ihre letzte dringende Botschaft durch die Bettlerin, die sich jeden Tag ein kleines Almosen an Milch erbat, an Victoria Guzmán. Als die Sirene des Bischofsschiffs heulte, war fast alle Welt zu seinem Empfang auf den Beinen, und nur wenige von uns wußten nicht, daß die Zwillinge Vicario auf Santiago Nasar warteten, um ihn zu töten; außerdem war der Grund in allen Einzelheiten bekannt.

Clotilde Armenta hatte ihre Milch noch nicht ganz verkauft, als die Brüder Vicario mit zwei anderen in Zeitungspapier gewickelten Messern zurückkehrten. Eines war zum Schlachten, mit einer rostigen harten Klinge, zwölf Zoll lang und drei breit; Pedro Vicario hatte es aus dem Metall eines Sägeblatts hergestellt, als infolge des Krieges keine deutschen Messer mehr kamen. Das andere war kürzer, aber breit und krumm. Der Untersuchungsrichter zeichnete es in seine Beweisaufnahme ein, vielleicht weil er es nicht beschreiben konnte, und wagte lediglich den Hinweis, es ähnele einem Krummsäbel in Miniatur. Mit diesen Messern wurde das Verbrechen begangen, und beide waren primitiv und stark abgenützt.

Faustino Santos konnte nicht begreifen, was geschehen war. »Wieder kamen sie, um die Messer zu schleifen«, sagte er zu mir, »und wieder schrien sie, daß jeder es hören konnte, sie würden Santiago Nasar die Kutteln herausreißen, so daß ich glaubte, sie wollten mich zum besten halten, besonders, weil ich nicht auf die Messer achtete und dachte, es seien dieselben.« Diesmal jedoch bemerkte Clotilde Armenta gleich bei ihrem Eintreten, daß die Zwillinge nicht mehr so entschlossen waren wie zuvor.

In Wirklichkeit hatten sie die erste Meinungsverschiedenheit hinter sich. Sie waren nicht nur innerlich viel verschiedener, als sie äußerlich wirkten, sondern zeigten auch in schwierigen Lagen entgegengesetzte Charakterzüge. Das hatten ihre Freunde schon in der Volksschule bemerkt. Pablo Vicario war sechs Minuten älter als sein Bruder und bewies bis ins Jünglingsalter mehr Einbildungskraft und Entschlossenheit. Pedro Vicario schien mir immer gefühlsbetonter und daher autoritärer. Mit zwanzig Jahren meldeten sie sich gleichzeitig zum Militärdienst, und Pablo Vicario wurde freigestellt, um der Familie vorzustehen. Pedro Vicario leistete seinen elfmonatigen Dienst bei Patrouillen zur Aufrechterhaltung der öffentlichen Ordnung ab. Das durch die Todesangst erschwerte Kasernenleben ließ in ihm die Neigung zum Befehlen reifen sowie die Gewohnheit, für seinen Bruder zu entscheiden. Er kehrte mit einer Sergeantenblennorrhöe zurück, die den brutalsten Methoden der Militärmedizin widerstand sowie den Arsenikinjektionen und den Permanganatpurgationen von Doktor Dionisio Iguarán. Erst im Kerker konnte er geheilt werden. Wir, seine Freunde, waren uns darüber einig, daß Pablo Vicario sofort eine seltsame Abhängigkeit vom jüngeren Bruder entwickelte, als Pedro Vicario mit einer Kasernenseele zurückkehrte und der neuen Angewohnheit, das Hemd hochzuheben, um jedem, der sie sehen wollte, am linken Rippenbogen die strichförmige Narbe eines Kugeleinschusses vorzuführen, ja sogar eine Art von Inbrunst empfand für die Großmanns-Blennorrhöe, die sein Bruder wie eine Kriegsauszeichnung zur Schau stellte.

Pedro Vicario traf eigener Erklärung zufolge die Entscheidung, Santiago Nasar zu töten, und anfangs tat sein Bruder nichts weiter, als ihm zu folgen. Doch als der Bürgermeister sie entwaffnete, glaubte auch er, seine Verpflichtung erfüllt zu haben, und nun war es Pablo Vicario, der das Kommando übernahm. Keiner von beiden erwähnte diese Meinungsverschiedenheit in den voneinander unabhängigen Erklärungen vor dem Untersuchungsrichter. Aber Pablo Vicario bestätigte mir mehrmals, es sei nicht leicht gewesen, den Bruder von der endgültigen Entscheidung zu überzeugen. Vielleicht war es auch in Wirklichkeit nur eine plötzliche Panikstimmung, doch tatsächlich ging Pablo Vicario allein in den Schweinestall, um die beiden anderen Messer zu holen, während der Bruder beim Versuch, unter den Tamarinden zu urinieren, unter Höllenqualen Tropfen für Tropfen ausschwitzte. »Mein Bruder hat nie erfahren, wie das ist«, sagte Pedro Vicario bei unserer einzigen Zusammenkunft. »Es war, als urinierte ich gemahlenes Glas.« Als Pablo Vicario mit den Messern zurückkehrte, fand er ihn noch immer an den Baum geklammert. »Er schwitzte Eis vor Schmerzen«, sagte er zu mir, »und versuchte mir klarzumachen, ich solle allein gehen, weil er nicht in der Verfassung sei, jemanden zu töten.« Er setzte sich auf einen der Schreinertische, die für das Hochzeitsmahl unter den Bäumen aufgestellt worden waren, und ließ die Hosen bis zu den Knien herunter. »Er brauchte eine halbe Stunde zum Wechseln der Mullbinde, mit der er seinen Pint umwickelt hatte«, sagte Pablo Vicario zu mir. In Wirklichkeit brauchte er nicht mehr als zehn Minuten, doch das Ganze war für Pablo Vicario so schwierig und rätselhaft, daß er es als neue List des Bruders deutete, um die Zeit bis zum Tagesanbruch hinzubringen. Und so schob er ihm das Messer in die Hand und zerrte ihn fast gewaltsam mit, um die verlorene Ehre der Schwester zu retten.

»Da gibt's keinen Ausweg«, sagte er zu ihm, »es ist, als hätten wir es schon hinter uns.«

Sie trugen die Messer offen in der Hand, als sie durch das Tor des Schweinestalls ins Freie traten, verfolgt vom lauten Gebell der Hunde in den Innenhöfen. Es begann hell zu werden. »Es regnete nicht«, erinnerte sich Pablo Vicario. »Im Gegenteil«, erinnerte sich Pedro, »der Wind kam vom Meer, und noch konnte man die Sterne an den Fingern abzählen.« Inzwischen war die Nachricht schon so weit herumgekommen, daß Hortensia Baute ihre Tür in dem Augenblick öffnete, als sie vor ihrem Haus vorübergingen, und sie war die erste, die um Santiago Nasar weinte. »Ich dachte, sie hätten ihn schon getötet«, sagte sie zu mir, »weil ich die Messer im Licht der Straßenlaterne sah und es mir vorkam, als ränne Blut an ihnen herunter.« Eines der wenigen Häuser, die in dieser abgelegenen Straße offen waren, war das von Prudencia Cotes, Pablo Vicarios Verlobter. Immer, wenn die Zwillinge zu dieser Stunde dort vorübergingen, und besonders freitags, wenn sie zum Markt gingen, kehrten sie bei ihr zum ersten Kaffee ein. Sie stießen die Tür des Innenhofes auf, bestürmt von den Hunden, die sie im Dämmerlicht des Morgengrauens erkannten, und begrüßten Prudencia Cotes' Mutter in der Küche. Der Kaffee war noch nicht fertig.

»Wir trinken ihn später«, sagte Pablo Vicario. »Wir haben es eilig.«

»Ich kann mir's denken, Söhne«, sagte sie, »die Ehre wartet nicht.«

Trotz alledem warteten sie, und diesmal dachte Pedro Vicario, der Bruder vertrödele absichtlich die Zeit. Während sie ihren Kaffee tranken, ging die vollerblühte Prudencia Cotes mit einem Bündel alter Zeitungen in die Küche, um das Herdfeuer anzufachen. »Ich wußte, was gespielt wurde«, sagte sie zu mir, »und ich war nicht nur einverstanden, sondern hätte ihn nie geheiratet, wenn er nicht seine Mannespflicht erfüllt hätte.« Bevor sie die Küche verließen, nahm Pablo Vicario ihr zwei Bogen Zeitungspapier weg und gab sie seinem Bruder, um die Messer einzuwickeln. Prudencia Cotes wartete in der Küche, bis sie die beiden durch die Innenhoftür ins Freie treten sah, und wartete drei Jahre ohne einen Augenblick der Mutlosigkeit weiter, bis Pablo Vicario aus dem Gefängnis kam und ihr Mann fürs Leben wurde.

»Gebt gut acht«, sagte sie zu ihnen.

Somit fehlte es Clotilde Armenta, als sie sah, daß die Zwillinge nicht mehr so entschlossen waren wie vorher, nicht an Gründen, und sie servierte ihnen eine Flasche Gordon-Gin für Flußmatrosen, in der Hoffnung, ihnen den Rest zu geben. »An diesem Tag wurde mir klar«, sagte sie zu mir, »wie allein wir Frauen in der Welt sind!« Pedro Vicario erbat sich von ihr das Rasierzeug ihres Mannes, und sie brachte ihm den Pinsel, die Seife, den Wandspiegel und den Apparat mit der neuen Klinge, doch er rasierte sich mit dem Tranchiermesser. Clotilde Armenta dachte, das sei die Höhe des Männlichkeitswahns. »Er sah aus wie ein Filmrowdy«, sagte sie zu mir. Er erklärte mir jedoch später, und das stimmte auch, in der Kaserne habe er gelernt, sich mit dem Rasiermesser zu rasieren, und könne es daher nie mehr auf andere Weise tun. Sein Bruder dagegen rasierte sich auf bescheidenste Weise mit dem von Don Rogelio de la Flor entliehenen Apparat. Schließlich tranken sie die Flasche schweigend und sehr langsam aus und betrachteten mit dem blöden Blick der soeben Erwachten das erloschene Fenster des gegenüberliegenden Hauses, während Kunden, die gar keinen Bedarf hatten, Milch kauften und nach nicht vorhandenen Nahrungsmitteln fragten, nur um zu sehen, ob es wahr sei, daß die beiden auf Santiago Nasar warteten, um ihn zu töten.

Die Brüder Vicario sollten besagtes Fenster nicht aufleuchten sehen. Santiago Nasar betrat sein Haus um vier Uhr zwanzig, brauchte aber kein Licht zu machen, um ins Schlafzimmer zu gelangen, weil die Treppenhauslampe die Nacht über brannte. Er warf sich im Dunkeln angezogen aufs Bett, denn ihm blieb nur eine Stunde zum Schlafen, und so fand ihn Victoria Guzmán, als sie hinaufging, um ihn für den Empfang des Bischofs zu wecken. Wir waren in María Alejandrina Cervantes' Haus bis nach drei Uhr zusammengewesen, als diese selber die Musikanten fortschickte und die Lichter des Innenhofs löschte, in dem immer getanzt wurde, damit ihre Mulattinnen sich allein zur Ruhe legen konnten. Seit drei Tagen und Nächten hatten sie ohne Pause gearbeitet, zuerst, um heimlich die Ehrengäste zu bedienen und dann, ohne Mogelei und bei offenen Türen, diejenigen von uns, die vom Hochzeitsbesäufnis noch nicht genug hatten. María Alejandrina Cervantes, von der wir sagten, sie brauche sich nur einmal schlafen zu legen, um zu sterben, war die eleganteste und zärtlichste Frau, die ich je gekannt habe, und dazu die gefälligste im Bett, aber auch die strengste. Sie war hier geboren und aufgewachsen, und hier lebte sie in einem Haus mit offenen Türen, mehreren Mietzimmern und einem riesigen Tanzbodenhof mit Lampions, die in den chinesischen Basaren von Paramaribo erstanden worden waren. Sie war es, die der Jungfräulichkeit meiner Generation ein Ende bereitete. Sie lehrte uns viel mehr, als wir erlernen sollten, sie lehrte uns aber besonders, daß es im Leben keinen traurigeren Ort gibt als ein leeres Bett. Santiago Nasar verlor den Verstand, als er sie zum ersten Mal sah. Ich hatte ihn gewarnt: »Der Falke, der es mit einem streitsüchtigen Reiher aufnimmt, begibt sich in Gefahr.« Aber er hörte nicht auf mich, betört vom schimärischen Säuseln der María Alejandrina Cervantes. Sie war seine hemmungslose Leidenschaft, seine Lehrmeisterin der Tränen mit fünfzehn Jahren, bis Ibrahim Nasar ihn mit Riemenhieben aus ihrem Bett riß und ihn länger als ein Jahr im »Göttlichen Antlitz« einsperrte. Seit jener Zeit blieben sie durch eine ernsthafte Zuneigung verbunden, doch ohne die Ausschweifungen der Liebe, und sie achtete ihn so sehr, daß sie sich mit niemandem mehr ins Bett legte, wenn er anwesend war. In jenen letzten Ferien schickte sie uns unter dem wenig überzeugenden Vorwand, sie sei müde, fort, ließ aber die Tür unverriegelt und ein Licht im Flur brennen, damit ich heimlich zurückkehren könne.

Santiago Nasar besaß eine fast magische Begabung für Verkleidungen, und sein Lieblingszeitvertreib war, die Identität der Mulattinnen zu vertauschen. Er plünderte die Kleiderschränke der einen, um die anderen zu verkleiden, so daß schließlich alle sich anders vorkamen und jenen glichen, die sie nicht waren. Einmal sah sich eine von ihnen so genau in einer anderen kopiert, daß sie einen Weinkrampf bekam. »Ich meinte, ich träte aus dem Spiegel«, sagte sie. Doch in jener Nacht erlaubte María Alejandrina Cervantes nicht, daß Santiago Nasar sich zum letztenmal mit seinen Verwandlungskünsten vergnügte, und hielt ihn unter so leichtfertigen Vorwänden davon ab, daß der üble Nachgeschmack dieser Erinnerung ihr Leben veränderte. So nahmen wir denn die Musikanten zu einem Serenadenrundgang mit und feierten das Fest auf unsere Rechnung weiter, während die Zwillinge Vicario auf Santiago

Nasar warteten, um ihn zu töten. Er war es, der gegen vier Uhr den Einfall hatte, wir sollten zum Hügel des Witwers de Xius hinaufsteigen, um den Neuvermählten ein Ständchen zu bringen.

Wir sangen nicht nur vor den Fenstern, sondern ließen auch im Park Feuerwerkskörper steigen und Frösche knallen, nahmen jedoch kein Lebenszeichen im Umkreis des Landhauses wahr. Es fiel uns nicht ein, daß niemand da sein könne, besonders weil das neue Automobil vor der Haustür stand, immer noch mit heruntergeklapptem Verdeck, mit den Atlasbändern und den wächsernen Orangenblütensträußchen, mit denen es auf dem Fest geschmückt worden war. Mein Bruder Luis Enrique, der wie ein Berufsmusiker Gitarre spielte, stimmte zu Ehren der Neuvermählten aus dem Stegreif ein Lied über eheliche Irrungen an. Bisher hatte es nicht geregnet. Im Gegenteil, der Mond stand mitten am Himmel, und die Luft war durchsichtig, und in der Tiefe der Nacht sah man auf dem Friedhof die Leuchtspur der Irrlichter. Auf der anderen Seite waren die im Mondschein blauen Saatfelder der Bananen zu erkennen, die traurigen Sümpfe und der phosphoreszierende Streifen der Karibik am Horizont. Santiago Nasar deutete auf ein aufblinkendes Licht im Meer und erzählte uns, das sei die umherirrende Seele eines Sklavenschiffs, das mit einer Ladung Negersklaven aus Senegal vor der großen Flußmündung von Cartagena de Indias untergegangen sei. Es war undenkbar, daß ihn das Gewissen plagte, obwohl er damals noch nicht wußte, daß das vergängliche Eheleben der Angela Vicario zwei Stunden zuvor zu Ende gegangen war. Bayardo San

Román hatte sie zu Fuß in ihr Elternhaus zurückgebracht, damit der Motorenlärm ihr Mißgeschick nicht vorzeitig preisgab, und befand sich wieder allein bei gelöschten Lichtern im glücklichen Landhaus des Witwers de Xius.

Als wir den Hügel hinabstiegen, lud mein Bruder uns zum Frühstück mit Bratfisch in die Markthallen ein, doch Santiago Nasar lehnte ab, weil er bis zur Ankunft des Bischofs eine Stunde schlafen wollte. Er ging mit Cristo Bedoya am Flußufer entlang, an den Elendsvierteln des alten Hafens vorbei, in denen die Lichter anzugehen begannen, und bevor er um die Ecke bog, winkte er uns ein Lebewohl zu. Wir sahen ihn zum letztenmal.

Er verabschiedete sich von Cristo Bedoya, mit dem er sich vereinbarungsgemäß später im Hafen treffen wollte, vor dem hinteren Eingang des Hauses. Die Hunde bellten ihn aus Gewohnheit an, als sie ihn eintreten hörten, doch er beruhigte sie im Halbdunkel mit dem Geklingel seines Schlüsselbunds. Victoria Guzmán bewachte ihre Kaffeekanne auf dem Herd, als er durch die Küche ins Haus ging.

»Weißer«, rief sie ihm zu, »der Kaffee ist gleich soweit.«

Santiago Nasar sagte ihr, er würde ihn später trinken, und bat sie, Divina Flor zu sagen, sie möge ihn um halb sechs wecken und frische Sachen, wie er sie anhabe, mit heraufbringen. Einen Augenblick, nachdem er die Treppe hinaufgestiegen war, um sich schlafen zu legen, erhielt Victoria Guzmán durch die Milchbettlerin Clotilde Armentas Botschaft. Um halb sechs kam sie seiner Anweisung nach, ihn zu wecken, aber sie schickte nicht Divina Flor, sondern stieg mit dem Leinenanzug selber zum Schlafzimmer hinauf, denn sie versäumte keine Gelegenheit, ihre Tochter vor den Krallen des Bojaren zu bewahren.

María Alejandrina Cervantes hatte ihr Haus nicht verriegelt. Ich verabschiedete mich von meinem Bruder, schritt durch den Gang, in dem die Katzen der Mulattinnen zwischen den Tulpen aneinandergedrängt schliefen, und öffnete die Schlafzimmertür, ohne anzuklopfen. Die Lichter waren gelöscht, doch sobald ich eintrat, spürte ich den lauwarmen Frauengeruch und sah im Dunkeln ihre schlaflosen Leopardenaugen, und ich kam erst wieder zu mir, als die Glocken läuteten.

Auf dem Weg zu unserem Haus betrat mein Bruder Clotilde Armentas Laden, um Zigaretten zu kaufen. Er hatte so viel getrunken, daß seine Erinnerungen an diese Begegnung für alle Zeiten wirr bleiben sollten, aber er vergaß nie den tödlichen Schluck, den Pedro Vicario ihm anbot. »Es war reines Feuer«, sagte er zu mir. Pablo Vicario, der schon halb eingeschlafen war, fuhr erschreckt hoch, als er ihn eintreten fühlte, und zeigte ihm das Messer.

»Wir wollen Santiago Nasar töten«, sagte er.

Mein Bruder erinnerte sich nicht daran. »Aber selbst wenn ich mich noch daran erinnerte, hätte ich es nicht geglaubt«, hat er mir mehrmals versichert. »Wem, zum Hundsfott, sollte es schon einfallen, daß die Zwillinge irgend jemand umbringen würden und dazu noch mit Schweinemessern!« Gleich darauf fragten sie ihn, wo Santiago Nasar sei, denn sie hatten sie um zwei zusammen gesehen, und mein Bruder erinnerte sich nicht einmal an seine eigene Antwort. Aber Clotilde Armenta und die Brüder Vicario waren so überrascht, sie zu hören, daß sie sie in getrennten Aussagen bei der Beweisaufnahme wiedergaben. Ihnen zufolge hatte mein Bruder gesagt: »Santiago Nasar ist tot.« Dann erteilte er ihnen den bischöflichen Segen, stolperte in der Tür und taumelte auf die Straße. Mitten auf dem Platz kam er an Pater Amador vorbei. Dieser ging im Meßgewand zum Hafen, gefolgt von einem Akoluthen, der das Meßglöckchen läutete, sowie von mehreren Gehilfen mit dem Altar für die Feldmesse des Bischofs. Als sie die Gruppe vorüberschreiten sahen, bekreuzigten sich die Brüder Vicario.

Clotilde Armenta erzählte mir, sie hätte auch die letzte Hoffnung verloren, als der Pfarrer von weitem an ihrem Haus vorbeiging. »Ich dachte, er habe meine Botschaft nicht erhalten«, sagte sie. Dennoch gestand Pater Amador mir viele Jahre später, als er sich aus der Welt in das düstere Erholungsheim von Calafell zurückgezogen hatte, daß er in der Tat Clotilde Armentas Botschaft und andere noch dringlichere erhalten habe, während er sich für seinen Gang zum Hafen vorbereitete. »In Wirklichkeit wußte ich nicht, was tun«, sagte er zu mir. »Zuerst dachte ich, es sei eine Angelegenheit, die nicht mich, sondern die Zivilbehörden beträfe, doch dann beschloß ich, Plácida Linero im Vorbeigehen ein Wort zu sagen.«

Aber als er über den Platz schritt, hatte er es vollständig vergessen. »Sie müssen verstehen«, sagte er zu mir, »an jenem unglückseligen Tag kam der

Bischof an.« Im Augenblick des Verbrechens war er so verzweifelt und so empört über sich selbst, daß ihm nichts anderes einfiel, als den Befehl zum Feueralarm zu geben.

Mein Bruder Luis Enrique betrat das Haus durch die Küchentür, die meine Mutter nie verriegelte, damit mein Vater uns nicht hereinkommen hörte. Vor dem Schlafengehen ging er ins Bad, schlief aber auf dem Klosett ein, und als mein Bruder Jaime aufstand, um in die Schule zu gehen, fand er ihn mit dem Gesicht auf den Fliesen liegend und im Schlaf singend. Meine Schwester, die Nonne, die nicht zum Empfang des Bischofs gehen würde, weil sie Brechreiz und vierzig Grad Fieber hatte, schaffte es nicht, ihn zu wecken. »Es schlug gerade fünf, als ich ins Bad ging«, sagte sie zu mir. Später gelang es meiner Schwester Margot, die ein Bad nehmen wollte, bevor sie zum Hafen ging, ihn mühsam ins Schlafzimmer zu schleifen. Von jenseits des Schlafs hörte er, ohne aufzuwachen, das erste Heulen des Bischofsschiffs. Dann schlief er, vom Hochzeitsgelage erschöpft, tief weiter, bis meine Schwester, die Nonne, ins Schlafzimmer trat, um eilends ihr Ordenskleid anzulegen, und ihn mit dem Wahnsinnsschrei weckte:

»Sie haben Santiago Nasar getötet!«

Die von den Messern angerichteten Verwüstungen waren nur der Anfang der gnadenlosen Autopsie, zu deren Durchführung sich Pater Carmen Amador wegen der Abwesenheit von Doktor Dionisio Iguarán verpflichtet sah. »Es war, als hätten wir ihn nach seinem Tode noch einmal getötet«, sagte der alte Pfarrer in seinem Ruhestandsort Calafell zu mir. »Aber es war eine Anordnung des Bürgermeisters, und die Anordnungen dieses Barbaren, mochten sie auch noch so blöde sein, mußten ausgeführt werden.« Es war keineswegs gerecht. In der Verwirrung jenes verrückten Montags hatte Oberst Aponte mit dem Provinzgouverneur dringende Telegramme gewechselt, und dieser hatte ihn ermächtigt, die einleitenden Maßnahmen zu ergreifen, bis ein Untersuchungsrichter geschickt würde. Der Bürgermeister war vorher Offizier beim Heer gewesen, ohne jegliche Erfahrung in gerichtlichen Angelegenheiten und viel zu eingebildet, um sich bei einem Fachmann zu erkundigen, wie er den Fall angehen müsse. Das erste, was ihm zu schaffen machte, war die Autopsie. Cristo Bedoya, der Medizinstudent war, erwirkte dank seiner engen Freundschaft mit Santiago Nasar Dispens. Der Bürgermeister dachte, man könne die Leiche bis zu Doktor Dionisio Iguaráns Rückkehr gekühlt halten, aber er fand keinen Kühlschrank in der Größe eines Menschen, und der einzige passende auf dem Markt war außer Betrieb. Der Leichnam war zur öffentlichen Besichtigung auf einer schmalen Eisenpritsche mitten im Wohnzimmer aufgebahrt, während der Sarg eines Reichen für ihn geschreinert wurde. Man hatte die Ventilatoren aus den Schlafzimmern und einigen Nachbarhäusern herbeigeschafft, aber der Andrang der Schaulustigen war so groß, daß die Möbel fortgeschoben und die Käfige und Farnkrauttöpfe von den Wänden abgehängt werden mußten, und die Hitze war dennoch unerträglich. Außerdem erhöhten die durch den Leichengeruch aufgeregten Hunde noch den Lärm. Sie hatten nicht aufgehört zu heulen, seit ich das Haus betreten hatte, als Santiago Nasar in der Küche noch mit dem Tode rang und ich Divina Flor sah, die sie schreiend und schluchzend mit einem Sperrbalken in Schach zu halten suchte.

»Hilf mir«, schrie sie mir zu, »die wollen seine Kutteln auffressen.«

Wir sperrten sie im Futterschuppen ein. Plácida Linero ordnete später an, sie sollten bis nach der Beerdigung an einen entlegenen Ort gebracht werden. Doch gegen Mittag entwichen sie aus ihrem Gefängnis, niemand wußte wie, und brachen wie wahnsinnig ins Haus ein. Einmal nur verlor Plácida Linero die Nerven.

»Diese Scheißköter!« schrie sie. »Schlagt sie tot!«

Die Anordnung wurde unverzüglich befolgt, und das Haus war wieder still. Bis dahin waren keine Befürchtungen über den Zustand des Leichnams laut geworden. Das Gesicht war unversehrt und zeigte den gleichen Ausdruck wie beim Singen, und Cristo Bedoya hatte die Eingeweide wieder an Ort und Stelle gelegt und den Leib mit einem Leinenband umwickelt. Trotzdem sickerte gegen Nachmittag aus den Wunden langsam sirupfarbenes Wasser, das die Mücken anlockte, und in der Lippengegend erschien ein maulbeerfarbener Fleck und zog langsam wie Wolkenschatten auf dem Wasser zum Haaransatz hinauf. Das immer nachsichtige Gesicht nahm einen feindseligen Ausdruck an, und seine Mutter bedeckte es mit einem Taschentuch. Nun wurde dem Oberst Aponte klar, daß man nicht mehr warten könne, und er gab Pater Amador die Anordnung, die Autopsie vorzunehmen. »Schlimmer wäre es gewesen, die Leiche eine Woche später wieder auszugraben«, sagte er. Der Pfarrer hatte zwar in Salamanca Medizin und Chirurgie studiert, war aber ohne akademischen Grad ins Seminar eingetreten, und sogar der Bürgermeister wußte, daß diese Autopsie keine Gültigkeit vor dem Gesetz hatte. Trotzdem hieß er ihn seiner Anordnung nachkommen.

Es war ein Gemetzel, das im städtischen Schulhaus mit Hilfe des Apothekers, der die Aufzeichnungen machte, und eines Medizinstudenten im ersten Jahr, der gerade seine Ferien hier verbrachte, durchgeführt wurde. Sie verfügten nur über einige Instrumente der kleinen Chirurgie, alles übrige waren Handwerksgeräte. Doch abgesehen von den am Körper verursachten Verheerungen schien Pater Amadors Bericht korrekt, und der Untersuchungsrichter fügte ihn als nützliche Unterlage seiner Beweisaufnahme bei.

Sieben der zahlreichen Verletzungen waren tödlich. Die Leber war durch zwei tiefe Perforationen im linken Leberlappen fast durchschnitten. Im Magen hatte er vier Inzisionen, eine von ihnen so tief, daß sie den Magen vollkommen durchstoßen und die Bauchspeicheldrüse zerstört hatte. Er hatte weitere sechs kleinere Perforationen im Dickdarm und mehrere Verletzungen im Dünndarm. Die einzige Verletzung im Rücken, auf Höhe des dritten Lendenwirbels, hatte die rechte Niere perforiert. Die Bauchhöhle war angefüllt mit großen Blutkoageln, und im Magenschlamm kam ein goldenes Medaillon der Heiligen Jungfrau vom Carmen zum Vorschein, das Santiago Nasar im Alter von vier Jahren verschluckt hatte. Die Brusthöhle wies zwei Perforationen auf: eine im zweiten rechten Zwischenrippenraum, die sogar die Lunge in Mitleidenschaft gezogen hatte, und eine zweite in nächster Nähe der linken Achselhöhle. Er hatte außerdem sechs kleinere Wunden an den Armen und den Händen und zwei horizontale Schnitte: einen im rechten Schenkel und den zweiten in der Bauchmuskulatur. Ein tiefer Stich war in der rechten Handfläche. Der Bericht sagte: »Er sah aus wie ein Wundmal des Gekreuzigten.« Die Gehirnmasse wog sechzig Gramm mehr als die des Durchschnittsengländers, und Pater Amador legte in seinem Bericht nieder, daß Santiago Nasar eine hohe Intelligenz und eine glänzende Zukunft hatte. Jedoch wies er in seiner letzten Anmerkung auf eine Hypertrophie der Leber hin, die er auf eine schlecht geheilte Hepatitis zurückführte. »Das heißt«, so sagte er zu mir, »daß er auf jeden Fall nur noch sehr wenige Jahre zu leben hatte.« Doktor Dionisio Iguarán, der Santiago Nasar, als dieser zwölf Jahre alt war, bei einer Hepatitis behandelt hatte, erinnerte sich empört an diese

Autopsie. »So uneinsichtig kann nur ein Geistlicher sein«, sagte er zu mir. »Unmöglich, ihm verständlich zu machen, daß wir Tropenmenschen eine größere Leber haben als die Galizier.« Der Bericht schloß, der Tod sei durch die von einer der sieben größeren Verletzungen hervorgerufene Blutung eingetreten.

Uns wurde ein anderer Leichnam zurückgegeben. Die Hälfte der Hirnschale war durch die Trepanation zertrümmert, und das vom Tod bewahrte Gesicht des Galans hatte seine Identität verloren. Außerdem hatte der Pfarrer die zerstückelten Eingeweide mit Stumpf und Stiel herausgerissen, wußte jedoch schließlich nichts mit ihnen anzufangen, so daß er einen Segen der Wut über sie sprach und sie in den Mülleimer warf. Den letzten zu den Fenstern der Schule geströmten Gaffern verging die Neugierde, der Gehilfe fiel in Ohnmacht, und Oberst Lázaro Aponte, der so viele Repressionsmassaker erlebt und verursacht hatte, wurde, außer daß er schon Spiritist war, auch noch Vegetarier. Die leere, mit Stofflappen und Ätzkalk ausgestopfte und mit groben Bindfaden und Packnadeln lieblos zusammengeflickte Hülle war bereits in Zersetzung begriffen, als wir sie in den nagelneuen seidengepolsterten Sarg legten. »Ich dachte, so würde der Leichnam länger erhalten bleiben«, sagte Pater Amador zu mir. Das Gegenteil trat ein: Wir mußten ihn eilends bei Tagesanbruch beerdigen, denn er war in so schlechtem Zustand, daß er im Hause nicht länger zu ertragen war.

Ein trüber Dienstag brach an. Ich fand nicht den Mut, mich am Ende des niederdrückenden Tages allein schlafen zu legen und stieß die Tür zu María Alejandrina Cervantes' Haus auf, für den Fall, daß sie den Riegel nicht vorgeschoben hätte. Die Lampions waren in den Bäumen angezündet, und im Tanzbodenhof brannten mehrere Holzfeuer unter riesigen dampfenden Kochtöpfen, in denen die Mulattinnen ihre Flitterkleider für die Trauer färbten. Ich fand María Alejandrina Cervantes wie immer bei Tagesanbruch wach, wie immer vollkommen nackt, wenn keine Fremden im Hause waren. Sie saß im Türkensitz auf ihrem Königinnenbett vor einem babylonischen Riesenteller mit Essen: Kalbskoteletts, gekochtes Huhn, Schweinelende und ein Bananen- und Gemüsegericht, das für fünf gereicht hätte. Maßlos zu essen war für sie immer die einzige Art zu trauern gewesen, und nie hatte ich sie dies mit ähnlichem Gram tun sehen. In den Kleidern legte ich mich neben sie, wortkarg und auf meine Weise ebenfalls weinend. Ich dachte an Santiago Nasars bitteres Geschick, das ihm zwanzig Jahre Glück nicht nur durch den Tod, sondern außerdem durch Zerstückelung, durch Verstreuung und Auslöschung seines Leibes geraubt hatte. Ich träumte, eine Frau mit einem kleinen Mädchen auf dem Arm trete ins Zimmer, und dieses knabbere, ohne Luft zu holen, und die halbgekauten Maiskerne fielen in sein Leibchen. Die Frau sagte zu mir: »Es kaut auf Teufel komm raus, ein bißchen schlampig, ein bißchen pampig.« Plötzlich spürte ich begehrliche Finger mein Hemd aufknöpfen, spürte den gefährlichen Geruch der Liebesbestie, die sich an meinen Rücken schmiegte, und spürte, wie ich in den Wonnen des Treibsands ihrer Zärtlichkeit versank. Doch mit einemmal hielt sie inne, hustete von weither und zog sich von mir zurück.

»Ich kann nicht«, sagte sie, »du riechst nach ihm.«

Nicht nur ich. Alles roch an jenem Tage nach Santiago Nasar. Die Brüder Vicario rochen ihn im Kerkerverlies, in das der Bürgermeister sie gesperrt hatte, bis ihm einfiel, was er mit ihnen machen sollte. »Je länger ich mich mit Seife und Espartowischen schrubbte, desto weniger wurde ich den Geruch los«, sagte Pedro Vicario zu mir. Sie hatten drei Nächte nicht geschlafen und konnten dennoch keine Ruhe finden, denn sobald sie einzuschlafen begannen, verübten sie von neuem das Verbrechen. Als er, schon ziemlich alt, mir seinen Zustand an jenem endlos langen Tag erklären wollte, sagte Pablo Vicario ohne jede Anstrengung zu mir: »Es war, als ob man zweimal wach ist.« Dieser Satz brachte mir den Gedanken nahe, das Unerträglichste im Kerker müsse für sie ihre Hellsichtigkeit gewesen sein.

Das Verlies war drei Meter im Quadrat, es gab dort ein vergittertes sehr hochliegendes Oberlicht, eine tragbare Latrine, ein Waschgestell mit Schüssel und Krug sowie zwei gemauerte Betten mit Schilfmatratzen. Oberst Aponte, zu dessen Amtszeit das Gefängnis erbaut worden war, sagte, es hätte nie ein humaneres Gefängnis gegeben, es sei wie ein Hotel gewesen. Mein Bruder Luis Enrique stimmte dem zu, denn eines Nachts wurde er wegen eines Musikantenstreits eingesperrt, und der Bürgermeister gestattete aus Nächstenliebe, daß eine der Mulatinnen ihn begleitete. Vielleicht fanden das die Brüder Vicario auch, um acht Uhr morgens, als sie sich vor den Arabern sicher fühlen konnten. In diesem Augenblick tröstete sie die ruhmreiche Gewißheit, ihrem Gesetz Genüge getan zu haben, und ihre einzige Sorge war die Hartnäckigkeit des Geruchs. Sie baten um reichlich Wasser, Schmierseife und Espartowische und wuschen sich das Blut von den Armen, vom Gesicht, außerdem wuschen sie ihre Hemden, konnten jedoch keine Ruhe finden. Pedro Vicario bat auch um seine Purgationen und harntreibenden Mittel sowie um eine sterile Mullbinde, damit er seinen Verband erneuern konnte, und vermochte so zweimal im Verlauf des Vormittags zu urinieren. Trotzdem wurde ihnen das Leben im weiteren Verlauf des Tages so schwer, daß der Geruch an die zweite Stelle rückte. Um zwei Uhr nachmittags, als die lähmende Hitze ihnen den Rest hätte geben müssen, war Pedro Vicario so müde, daß er nicht mehr liegen konnte, aber diese selbe Müdigkeit hinderte ihn auch daran, sich auf den Beinen zu halten. Der Schmerz in den Leisten stieg ihm bis zum Halse, blockierte den Urin, und die schauerliche Gewißheit, daß er für den Rest seines Lebens nie mehr einschlafen würde, schnürte ihm die Kehle zu. »Ich war elf Monate wach«, sagte er zu mir, und ich kannte ihn gut genug, um zu wissen, daß er die Wahrheit sprach. Er konnte nicht zu Mittag essen. Pablo Vicario seinerseits aß von allem, was ihnen gebracht wurde, ein paar Bissen, und eine Viertelstunde später überfiel ihn ein bestialischer Brechdurchfall. Um sechs Uhr abends, während die Autopsie von Santiago Nasars Leichnam im Gange war, wurde der Bürgermeister eilends gerufen, weil Pedro Vicario davon überzeugt war, man habe seinen Bruder vergiftet. »Er zerging mir zu Wasser«, sagte Pablo Vicario zu mir, »und wir konnten den Gedanken nicht loswerden, das seien die Scheißmachenschaften der Türken.« Bis dahin war zweimal die tragbare Latrine übergeschwappt, und der Gefängnisaufseher hatte ihn sechsmal zum Abort der Bürgermeisterei geführt. Dort fand ihn Oberst Aponte, wie er vom Wärter im türenlosen Abort festgehalten wurde und sich so flüssig entwässerte, daß es keineswegs abwegig war, an Gift zu denken. Doch der Gedanke wurde sofort verworfen, als sich herausstellte, daß er nur Wasser getrunken und das von Pura Vicario geschickte Mittagessen verspeist hatte. Trotzdem war der Bürgermeister so beeindruckt, daß er die Gefangenen unter Sonderbewachung in sein Haus bringen ließ, bis der Untersuchungsrichter kam und sie ins Zuchthaus von Riohacha überstellte.

Die Angst der Zwillinge entsprach der Seelenverfassung der Straße. Eine Vergeltungsmaßnahme der Araber wurde nicht ausgeschlossen, doch niemand mit Ausnahme der Brüder Vicario hatte an Gift gedacht. Man vermutete viel eher, sie würden die Nacht abwarten, um Benzin durchs Oberlicht zu schütten und die Gefangenen in ihrem Kerkerloch in Brand zu stecken. Doch auch dies war eine allzu leichtfertige Vermutung. Die Araber waren eine Gruppe friedlicher Einwanderer, die sich zu Beginn des Jahrhunderts in den Dörfern der Karibik, auch in den entlegensten und ärmsten, niedergelassen hatten, und dort blieben sie und verkauften bunte Fetzen und Jahrmarktsramsch. Sie waren unter sich einig, arbeitsam und katholisch. Sie heirateten untereinander, führten ihren eigenen Weizen ein, züchteten Lämmer in den Hinterhöfen und pflanzten Majoran und Auberginen an, und ihre einzige echte Leidenschaft war Kartenspielen. Die Älteren sprachen nach wie vor das aus ihrer Heimat mitgebrachte ländliche Arabisch und behielten es in der Familie unverändert bis zur zweiten Generation bei, aber die dritte Generation, mit Ausnahme von Santiago Nasar, antwortete ihren arabisch sprechenden Eltern auf Spanisch. Daher konnten sie unmöglich mit einemmal dem Herdengeist entsagen, um einen Tod zu rächen, an dem wir alle schuld sein konnten. An Vergeltung dachte dagegen niemand von Plácida Lineros Familie, mächtige, kriegerische Leute, bis ihr Vermögen zerronnen war, die mehr als zwei durch den Klang ihres Namens geschützte Kneipenraufbolde hervorgebracht hatten.

Oberst Aponte, über die Gerüchte besorgt, besuchte die Araber, eine Familie nach der anderen, und zumindest diesmal zog er einen richtigen Schluß. Er fand sie ratlos und traurig, an ihren Altären waren Trauerzeichen, und einige hockten laut heulend am Boden, doch keiner von ihnen nährte Rachegelüste. Die Reaktionen vom Vormittag waren der ersten Empörung nach dem Verbrechen entsprungen, und die Urheber selbst gaben zu, über Prügel hinaus wäre nichts passiert. Noch mehr: Suseme Abdala, die hundertjährige Matriarchin, war es, die zu dem wundertätigen Aufguß aus Passionsblumen und Wermutkraut riet, der Pablo Vicarios Brechdurchfall zum Stillstand und zugleich den Quell seines Zwillingsbruders zum Fließen brachte. Nun überkam Pedro Vicario schlaflose Schläfrigkeit, und der wiederhergestellte Bruder vermochte erstmals ohne Gewissensbisse einzuschlafen. So fand sie Purísima Vicario um drei Uhr am Dienstagmorgen, als der Bürgermeister sie hinbrachte, damit sie sich von ihnen verabschieden könne.

Die ganze Familie einschließlich der ältesten Töchter mit ihren Männern erschien auf Anregung von Oberst Aponte. Sie gingen, ohne daß es jemand gemerkt hätte, im Schutz der allgemeinen Erschöpfung, während wir, die einzigen, die am Ende dieses heillosen Tages noch wach waren, Santiago Nasar beerdigten. Sie gingen, während die Gemüter sich beruhigten, der Verordnung des Bürgermeisters entsprechend, doch sie kehrten nie zurück. Pura Vicario umwickelte der zurückgegebenen Tochter das Gesicht mit einem Tuch, damit niemand die Spuren der Schläge sah, und zog ihr ein feuerrotes Kleid an, damit niemand sich einbildete, sie trage um den heimlichen Geliebten Trauer. Vor dem Weggehen bat sie Pater Amador, er möge den Söhnen im Kerker die Beichte abnehmen, doch Pedro Vicario weigerte sich und überzeugte den Bruder davon, daß sie nichts zu bereuen hätten. Sie blieben also allein, und am Tag der Überstellung nach Riohacha waren sie wieder so hergestellt und von ihrem Beweggrund überzeugt, daß sie nicht nachts geholt werden wollten, wie es mit der Familie geschehen war, sondern am hellichten Tag und vor aller Augen. Poncio Vicario, der Vater, starb kurz darauf. »Der Gram hat ihn ins Grab gebracht«, sagte Angela Vicario zu mir. Als die Zwillinge freigesprochen wurden, blieben sie in Riohacha, eine Tagesreise von Manaure entfernt, wo die Familie lebte. Dorthin fuhr Prudencia Cotes zur Hochzeit mit Pablo Vicario, der in der Werkstatt seines Vaters das Goldschmiedehandwerk erlernt hatte und ein anerkannter Goldschmied wurde. Pedro Vicario, ohne Braut noch Anstellung, trat drei Jahre später wieder in die Streitkräfte ein, verdiente sich die Litzen eines Oberfeldwebels, und eines strahlenden Morgens drang seine Patrouille, Hurenlieder singend, in Guerillagebiet ein und verschwand auf Nimmerwiedersehen.

Für die überwiegende Mehrheit gab es nur ein Opfer: Bayardo San Román. Man meinte, die anderen Protagonisten der Tragödie hätten die ihnen vom Leben zugewiesenen Hauptrollen mit Würde und sogar mit gewisser Größe gespielt. Santiago Nasar hatte sein Unrecht gesühnt, die Gebrüder Vicario hatten sich als Männer erwiesen, und die verhöhnte Schwester war wieder im Besitz ihrer Ehre. Der einzige, der alles verloren hatte, war Bayardo San Román. »Der arme Bayardo«, wie man sich jahrelang an ihn erinnerte. Trotzdem hatte niemand an ihn gedacht bis nach der Mondfinsternis am Samstag darauf, als der Witwer de Xius dem Bürgermeister erzählte, er habe einen phosphoreszierenden Vogel über seinem alten Haus flattern sehen und gemeint, es sei die Seele seiner Frau, die ihren Besitz zurückfordere. Der Bürgermeister schlug sich mit der Hand an die Stirn, was nichts mit der Vision des Witwers zu tun hatte. »Teufel noch eins!« schrie er. »Ich hatte den armen Mann ganz vergessen!«

Er stieg mit einer Patrouille zum Hügel hinauf, fand das Automobil mit heruntergeklapptem Verdeck vor dem Landhaus stehen und sah ein einsames Licht im Schlafzimmer, doch niemand antwortete auf sein Rufen und Klopfen. So brachen sie eine Seitentür auf und durchsuchten die Zimmer im Sternenlicht der mondlosen Nacht. »Alles sah aus wie unter Wasser«, erzählte mir der Bürgermeister. Bayardo San Román lag bewußtlos im Bett, so wie ihn Pura Vicario im Morgengrauen des Dienstags gesehen hatte, in der modischen Hose und dem Seidenhemd, doch ohne Schuhe. Leere Flaschen standen auf dem Fußboden und viele ungeöffnete neben dem Bett, doch keine Spur von Eßbarem. »Er hatte eine Äthylvergiftung in fortgeschrittenem Stadium«, sagte mir Doktor Dionisio Iguarán, der ihn als Notfall behandelt hatte. Aber Bayardo San Román erholte sich in wenigen Stunden, und sobald er seine Denkfähigkeit wiedererlangt hatte, bugsierte er alle so höflich, wie er nur konnte, aus dem Haus.

»Daß mir keiner auf den Wecker fällt«, sagte er. »Nicht mal mein Papa mit seinen Veteraneneiern.«

Mit einem dringlichen Telegramm benachrichtigte der Bürgermeister den General Petronio San Román ausführlich, einschließlich dieses letzten Satzes, über den Vorfall. Der General San Román mußte den Wunsch seines Sohnes wohl wortwörtlich genommen haben, denn er holte ihn nicht ab, sondern schickte seine Gattin mit den Töchtern hin sowie zwei ältere Frauen, die ihre Schwestern zu sein schienen. Sie kamen mit einem Frachtschiff an, aus Schmerz und Trauer über Bayardo San Románs Unglück hochgeschlossen und mit aufgelöstem Haar. Bevor sie festen Boden betraten, zogen sie die Schuhe aus und schritten bis zum Hügel barfuß im glühenden Mittagsstaub durch die Straßen, sich Haarbüschel bis auf die Wurzeln ausreißend und so herzzerreißend heulend, daß es wie ein Jubel klang. Ich sah sie von Magdalena Olivers Balkon aus vorbeigehen und erinnere mich, dabei gedacht zu haben, daß Trostlosigkeit wie diese nur geheuchelt sein konnte, um größere Schande zu vertuschen.

Oberst Lázaro Aponte begleitete sie zum Hügelhaus, und anschließend ritt der Doktor Dionisio Iguarán auf seiner Mauleselin für Notfälle hinauf. Als die Sonne milder schien, trugen zwei Männer der Stadtverwaltung Bayardo San Román in einer an einem Pfahl befestigten Hängematte zu Tal, bis zum Kopf mit einem Umhang bedeckt und mit dem Ehrengeleit von Klageweibern. Magdalena Oliver glaubte, er sei tot.

»Hoden des Herrgotts«, rief sie aus, »welche Vergeudung!«

Wieder hatte ihn der Alkohol nur niedergestreckt, doch fiel es schwer zu glauben, er werde lebend abtransportiert, denn sein rechter Arm schleifte auf dem Erdboden nach, und jedesmal wenn seine Mutter ihn in die Hängematte legte, fiel er von neuem zurück, so daß er vom Fuß des Hangs bis zum Schiffsdeck auf dem Erdboden eine Spur zurückließ. Das war das letzte, was uns von ihm blieb: die Erinnerung an ein Opfer. Sie ließen das Landhaus unangetastet zurück. Wenn wir aus den Ferien zurückkamen, stiegen meine Brüder und ich in Saufnächten zu Erkundungsausflügen hinauf, und jedesmal fanden wir weniger wertvolle Gegenstände in den verlassenen Wohnräumen vor. Einmal retteten wir das Handköfferchen, das sich Angela Vicario für die Hochzeitsnacht von ihrer Mutter erbeten hatte, aber wir legten dieser Tatsache keinerlei Bedeutung bei. Was wir darin fanden, schienen die üblichen Mittel zur Körper- und Schönheitspflege einer Frau zu sein, und ich erfuhr ihren wahren Gebrauchswert erst, als Angela Vicario mir viele Jahre später erzählte, welche Hebammenlisten man ihr beigebracht hatte, um den Ehemann hinters Licht zu führen. Das war die einzige Spur von ihr, hinterlassen an der Stätte, die sie fünf Stunden lang als Ehefrau beherbergt hatte.

Jahre später, als ich auf der Suche nach den letzten Zeugenaussagen für diese Chronik zurückkehrte, waren nicht einmal mehr die Funken des Abschieds von Yolanda de Xius' Glück übrig. Trotz der hartnäckigen Wachsamkeit von Oberst Lázaro Aponte waren die Dinge nach und nach verschwunden, einschließlich des Kleiderschranks mit den sechs mannshohen Spiegeltüren, den die Meistersinger von Mompox im Haus hatten zusammensetzen müssen, da er nicht durch die Tür ging. Anfangs geriet der Witwer de Xius über dem Gedanken, das seien posthume Machenschaften seiner Gattin, um sich ihren Besitz abzuholen, in Verzückung. Oberst Lázaro machte sich über ihn lustig. Doch eines Nachts kam ihm die Idee, eine spiritistische Messe zur Aufklärung des Geheimnisses zu zelebrieren, und Yolanda de Xius' Seele bestätigte ihm auf Ehre und Gewissen, es sei in der Tat sie, die sich den Plunder des Glücks aus ihrem Totenhaus hole. Das Landhaus begann zu zerfallen. Das Hochzeitsautomobil vor der Haustür löste sich in seine Bestandteile auf, und zum Schluß blieb nur das von Wind und Wetter zerfressene Gehäuse übrig. Viele Jahre hindurch war nichts von seinem Eigentümer zu erfahren. In der Beweisaufnahme steht eine Erklärung von ihm, aber sie ist so kurz und unverbindlich, daß sie in letzter Minute abgefaßt worden zu sein scheint, um einer unerläßlichen Formalität zu genügen. Als ich, dreiundzwanzig Jahre später, ein einziges Mal mit ihm zu sprechen versuchte, empfing er mich mit einer gewissen Aggressivität und weigerte sich, auch nur die geringfügigste Einzelheit beizutragen, um seinen Anteil an dem Drama ein wenig aufzuklären. Jedenfalls wußten nicht einmal seine Eltern sehr viel mehr von ihm als wir, und sie hatten nicht die geringste Ahnung, was er in einem abgelegenen Dorf suchte, außer eine Frau zu heiraten, die er nie gesehen hatte.

Von Angela Vicario hingegen erhielt ich immer windstoßartige Nachrichten, die mir ein idealisiertes Bild vorgaukelten. Meine Schwester, die Nonne, reiste eine Zeitlang durch die Hohe Guajira, bemüht, die letzten Götzenanbeter zu bekehren, und machte jedesmal halt, um in dem von Karibiksalz ausgedörrten Weiler, in dem ihre Mutter sie bei lebendigem Leib zu begraben versucht hatte, mit ihr zu reden. »Grüße von deiner Kusine«, sagte sie dann zu mir. Meine Schwester Margot, die sie in den ersten Jahren gleichfalls besuchte, erzählte mir, sie hätten ein Steinhaus mit einem sehr großen, von Winden aus allen Richtungen heimgesuchten Innenhof gekauft, bei dem das einzige Problem die Nächte mit Hochflut seien, weil die Klosetts überschwappten und die Fische morgens springend in den Schlafzimmern auftauchten. Alle, die sie zu jener Zeit sahen, berichteten übereinstimmend, daß sie geschickt und versunken an der Stickmaschine saß und bei ihrer Heimarbeit zu vergessen gelernt hatte.

Viel später, in einem recht unsicheren Abschnitt meines Lebens, in dem ich etwas über mich zu erfahren suchte, indem ich Enzyklopädien und medizinische Bücher in den Dörfern der Guajiraregion verkaufte, gelangte ich zufällig bis in jenes ungesunde Indioloch. Am Fenster eines am Meer gelegenen Hauses saß eine Halbtrauer tragende Frau mit einer Drahtbrille und vergilbtem Haar und stickte in der Stunde der größten Hitze auf der Maschine, und über ihrem Kopf hing ein Käfig mit einem ohne Unterlaß singenden Kanarienvogel. Als ich sie in dem idyllischen Fensterrahmen so sah, wollte ich nicht glauben, daß sie jene Frau war, für die ich sie hielt, weil mir der Gedanke widerstrebte, das Leben könne am Ende der Schundliteratur zum Verwechseln ähnlich sehen. Doch sie war es: Angela Vicario – dreiundzwanzig Jahre nach dem Drama.

Sie behandelte mich wie immer, wie einen entfernten Vetter, und beantwortete meine Fragen verständig und humorvoll. Sie war so reif und gescheit, daß ich Mühe hatte, sie für dieselbe zu halten. Was mich am meisten überraschte, war die Art, in der sie schließlich ihr eigenes Leben begriffen hatte. Nach wenigen Minuten wirkte sie nicht mehr so gealtert wie auf den ersten Blick, sondern fast so jung wie in der Erinnerung, und hatte nichts gemein mit jener, die mit zwanzig Jahren gezwungen worden war, ohne Liebe zu heiraten. Ihre Mutter, in mißverstandenem Greisenalter, empfing mich wie ein unbegreifliches Gespenst. Sie weigerte sich, von der Vergangenheit zu sprechen, und so mußte ich mich für diese Chronik mit einigen unzusammenhängenden Sätzen aus ihren Unterhaltungen mit meiner Mutter begnügen, sowie mit wenigen anderen Sätzen, die ich meiner Erinnerung abringen konnte. Sie hatte mehr als das Mögliche getan, um Angela Vicario lebend sterben zu lassen, doch die eigene Tochter vereitelte ihre Absichten, weil sie nie ein Geheimnis aus ihrem Unglück machte. Im Gegenteil: jedem, der es hören wollte, erzählte sie es in allen Einzelheiten, bis auf jene Einzelheit, die nie aufgeklärt werden sollte: Wer, wie und wann, der wahre Urheber ihres Schadens war, weil niemand glaubte, es sei in Wirklichkeit Santiago Nasar gewesen. Sie gehörten zwei unterschiedlichen Welten an. Niemand hatte sie je in der Öffentlichkeit zusammen gesehen und schon gar nicht alleine. Santiago Nasar war viel zu stolz, um einen Blick auf sie zu werfen. »Deine Kusine, das Dummerchen«, sagte er zu mir, wenn er sie erwähnen mußte. Außerdem war er, wie wir damals sagten, ein Sperber im Hühnerhof. Er war ein Einzelgänger genau wie sein Vater und legte jedes Mädchen auf Abwegen, das in jener Berggegend auftauchte, aufs Kreuz, im Dorf dagegen kannte man nie eine andere als die mit Flora Miguel unterhaltene schickliche Beziehung und die stürmische mit María Alejandrina Cervantes, die ihn vierzehn Monate hindurch bis zum Wahnsinn trieb. Die landläufigste, vielleicht weil perverseste Lesart lautete: Angela Vicario wollte jemanden schützen, den sie wahrhaft liebte, und hatte daher Santiago Nasars Namen gewählt, weil sie nie gedacht hätte, daß ihre Brüder Hand an ihn legen könnten. Ich selbst versuchte ihr diese Wahrheit zu entlocken, als ich sie mit einem Katalog von Beweisgründen zum zweitenmal besuchte, doch sie hob kaum den Kopf von ihrer Stickerei, um etwas dagegen zu sagen.

»Gib dir keine Mühe, Vetter«, sagte sie zu mir. »Er war es.«

Alles übrige erzählte sie ohne Rückhalt bis zum Mißgeschick der Hochzeitsnacht. Sie erzählte, ihre Freundinnen hätten ihr geraten, sie müsse ihren Gatten im Bett bis zur Sinnlosigkeit betrunken machen, sie müsse sich schamhafter zeigen, als sie in Wirklichkeit sei, damit er das Licht lösche, sie müsse eine scharfe Alaunwaschung vornehmen, um ihre Jungfräulichkeit zu heucheln, sie müsse außerdem das Leintuch mit Chromquecksilber beflecken, damit sie es am nächsten Tag in ihrem Innenhof als Neuvermählte vorzeigen könne. Nur mit zwei Faktoren hatten ihre Kupplerinnen nicht gerechnet: mit der außergewöhnlichen Trinkfestigkeit Bayardo San Románs und der Anständigkeit, die Angela Vicario hinter der ihr von ihrer Mutter aufgezwungenen Dummheit verbarg. »Ich tat nichts von dem, was man mir gesagt hatte«, sagte sie zu mir, »denn je mehr ich darüber nachdachte, desto klarer wurde mir, daß das Ganze eine Schweinerei war, die man niemandem antun konnte und am allerwenigsten dem armen Mann, der das Pech gehabt hatte, mich zu heiraten.«

Daher ließ sie sich aus freien Stücken im erleuchteten Schlafzimmer ausziehen, unberührt von all den erlernten Ängsten, die ihr das Leben verpfuscht hatten. »Es war ganz einfach«, sagte sie zu mir, »denn ich war entschlossen zu sterben.«

In Wahrheit sprach sie von ihrem Unglück ohne jede Scham, um das andere Unglück zu tarnen, das wahre, das ihre Eingeweide versengte. Niemand hätte es im entferntesten vermutet, bis sie sich entschloß, es mir zu erzählen: daß Bayardo San Román für immer in ihr Leben getreten war, nachdem er sie in ihr Elternhaus zurückgebracht hatte. Es war eine plötzliche Gnade. »Auf einmal, als Mama mich zu prügeln begann, begann ich an ihn zu denken«, sagte sie zu mir. Die Fausthiebe taten ihr weniger weh, weil sie wußte, daß sie für ihn waren. Noch mit gelindem Staunen über sich selbst dachte sie an ihn, als sie schluchzend auf dem Eßzimmersofa lag. »Ich weinte nicht wegen der Schläge noch wegen sonst etwas, das passiert war«, sagte sie zu mir, »ich weinte um ihn.« Sie dachte noch an ihn, während ihre Mutter ihr Arnikakompressen aufs Gesicht legte, und dachte noch mehr an ihn, als sie das Schreien auf der Straße hörte und die Feuerwehrglocken auf dem Turm und ihre Mutter hereinkam und sagte, jetzt könne sie schlafen, denn das Schlimmste sei vorüber.

Sie hatte schon seit langem ohne jede Illusion an ihn gedacht, als sie ihre Mutter zu einer Augenuntersuchung im Krankenhaus von Riohacha begleiten mußte. Unterwegs gingen sie ins Hafenhotel, dessen Besitzer sie kannten, und Pura Vicario bat im Hotelausschank um ein Glas Wasser. Sie trank es mit dem Rücken zu ihrer Tochter, während diese das Bild ihrer eigenen Gedanken in den zahlreichen Spiegeln des Raums reflektiert sah. Angela Vicario wandte mit letzter Kraft den Kopf und sah ihn vorbeigehen, ohne daß er sie sah, und sah ihn das Hotel verlassen. Wieder blickte sie ihre Mutter mit zerrissenem Herzen an. Pura Vicario hatte ihr Glas ausgetrunken, sie trocknete sich mit dem Ärmel die Lippen und lächelte ihr von der Theke durch ihre neue Brille zu. In diesem Lächeln sah Angela Vicario sie zum erstenmal seit ihrer Geburt, so wie sie war: eine arme Frau, die mit ihren Fehlern einen lebenslangen Kult getrieben hatte. Scheiße, sagte sie zu sich. Sie war so verstört, daß sie während der ganzen Rückreise laut sang, anschließend warf sie sich aufs Bett und weinte drei Tage lang.

Sie wurde von neuem geboren. »Ich war verrückt nach ihm«, sagte sie zu mir, »endgültig verrückt.« Sie brauchte nur die Augen zu schließen, um ihn zu sehen, sie hörte ihn im Meer atmen, die Hitze ihres Körpers weckte sie um Mitternacht im Bett. Gegen Ende jener Woche, nachdem sie keine Minute Ruhe gefunden hatte, schrieb sie ihm den ersten Brief. Es war ein unverbindlicher Kartenbrief, in dem sie ihm erzählte, sie habe ihn das Hotel verlassen sehen und gewünscht, er hätte sie gesehen. Vergebens wartete sie auf eine Antwort. Nach zwei Monaten, des Wartens müde, schickte sie ihm im gleichen ungelenken Stil des vorigen einen zweiten Brief, dessen einzige Absicht zu sein schien, ihm seine mangelnde Aufmerksamkeit vorzuwerfen. Sechs Monate danach hatte sie sechs unbeantwortete Briefe geschrieben, fand sich aber mit der Bestätigung ab, daß er sie erhalten hatte.

Zum erstenmal Herrin ihres Schicksals, entdeckte Angela Vicario nun, daß Haß und Liebe sich bedingende Leidenschaften sind. Je mehr Briefe sie ihm sandte, desto wilder loderte die Glut ihres Fiebers, desto hitziger glühte aber auch der selige Groll, den sie gegen ihre Mutter empfand. »Wenn ich sie nur sah, drehte sich mir schon der Magen um«, sagte sie zu mir, »aber ich konnte sie nicht ansehen, ohne an ihn zu denken.« Ihr Leben einer zurückgegebenen Ehefrau ging ebenso schlicht weiter wie das der Ledigen; sie stickte mit ihren Freundinnen unentwegt auf der Maschine, so wie sie früher Stofftulpen und Papiervögel hergestellt hatte, doch wenn sich ihre Mutter schlafen legte, blieb sie in ihrem Zimmer auf und schrieb Briefe ohne Zukunft bis zum Morgengrauen. Sie wurde hellsichtig, gebieterisch, Meisterin ihres Willens und nur für ihn wieder Jungfrau, und sie erkannte keine andere Autorität an als die ihre, noch eine andere Hörigkeit als die ihrer Besessenheit.

Sie schrieb ein halbes Leben lang wöchentlich einen Brief. »Mitunter fiel mir nichts ein«, sagte sie zu mir, halb tot vor Lachen, »aber es genügte mir zu wissen, daß er sie empfing.« Anfangs waren es Verlobungskärtchen, dann die Zettelchen einer heimlichen Geliebten, duftende Billetts einer Frischverlobten, Geschäftsberichte, Liebesdokumente, schließlich wurden es empörte Briefe einer verlassenen Gattin, die grausame Krankheiten erfand, um ihn zur Rückkehr zu zwingen. In einer gutgelaunten Nacht ergoß sich das Tintenfaß auf den beendeten Brief, und statt ihn zu zerreißen, fügte sie einen Nachsatz an: »Als Beweis meiner Liebe sende ich dir meine Tränen.«

Bisweilen, müde vom Weinen, machte sie sich

über ihren eigenen Wahnsinn lustig. Sechsmal wurde die Postbeamtin ausgewechselt, und sechsmal gewann sie sie zur Komplizin. Das einzige, was ihr nicht einfiel, war, aufzugeben. Trotzdem schien er ihrem Wahn gegenüber unempfindlich zu sein: es war, als schriebe sie an niemand.

Frühmorgens an einem stürmischen Tag im zehnten Jahr wachte sie auf mit dem sicheren Gefühl, daß er nackt in ihrem Bett lag. Sie schrieb ihm darauf einen heftigen, zwanzig Seiten langen Brief, in dem sie ihm schamlos die bitteren Wahrheiten ins Gesicht warf, die seit ihrer verhängnisvollen Nacht verfault in ihrem Herzen ruhten. Sie sprach ihm von den ewigen Schwären, die er auf ihrem Körper hinterlassen hatte, vom Salz seiner Zunge, von der Feuerfurche seiner afrikanischen Rute. Sie übergab den Brief der Postbeamtin, die Freitag nachmittags zum Sticken zu ihr kam, um die Briefe mitzunehmen, und war überzeugt, daß mit diesem abschließenden Ausbruch ihre Todesqualen ein Ende haben würden. Doch es kam keine Antwort. Von nun an war sie sich nicht mehr bewußt, was sie schrieb, noch an wen genau sie schrieb, aber sie schrieb erbarmungslos siebzehn Jahre lang weiter.

An einem Augustmittag, während sie mit ihren Freundinnen stickte, fühlte sie, daß jemand auf die Tür zukam. Sie brauchte nicht aufzublicken, um zu wissen, wer es war. »Er war fett, und das Haar begann ihm auszufallen, und er brauchte schon eine Brille, um in der Nähe zu sehen«, sagte sie zu mir. »Aber er war es, zum Teufel, er war's!« Sie erschrak, denn sie wußte, daß er sie so verkümmert sah, wie sie ihn sah, und glaubte nicht, daß er so viel

Liebe habe wie sie, um ihn zu ertragen. Sein Hemd war schweißdurchtränkt, wie sie es beim ersten Mal auf dem Volksfest gesehen hatte, und er trug denselben Gürtel und dieselben halbaufgerissenen Ledersäcke mit Silberverzierungen. Bayardo San Román machte einen Schritt vorwärts, ohne sich um die anderen verblüfften Stickerinnen zu kümmern, und stellte die Reisesäcke auf die Nähmaschine.

»Schön«, sagte er, »hier bin ich.«

Er hatte seine Wäschetasche mitgebracht, um dazubleiben, und eine weitere gleiche Tasche mit den von ihr empfangenen, fast zweitausend Briefen. Sie waren nach dem Datum geordnet, in Bündeln, mit bunten Bändern umwickelt, und alle ungeöffnet.

Jahrelang konnten wir über nichts anderes reden. Unser bis dahin von so vielen gradlinigen Gewohnheiten beherrschtes tägliches Verhalten hatte mit einem Schlag begonnen, sich um eine gemeinsame Bedrängnis zu drehen. Frühmorgens überraschten uns die Hähne bei dem Versuch, die zahlreichen ineinander verzahnten Zufälle zu ordnen, die das Ungereimte möglich gemacht hatten, und es lag auf der Hand, daß wir das nicht im Verlangen taten, Geheimnisse aufzuklären, sondern weil keiner von uns weiterleben konnte, ohne genau zu wissen, welches Platz und Auftrag waren, die ihm das Verhängnis zugewiesen hatte.

Viele erfuhren es nicht. Cristo Bedoya, der ein bemerkenswerter Chirurg wurde, vermochte sich nie zu erklären, warum er dem Impuls nachgegeben hatte, zwei Stunden bei seinen Großeltern zu warten, bis der Bischof kam, statt sich im Haus seiner Eltern, die bis zum Tagesanbruch auf ihn warteten, um ihn zu warnen, schlafen zu legen. Doch die Mehrzahl derer, die etwas zur Verhinderung des Verbrechens hätten tun können und dennoch nichts getan hatten, trösteten sich mit dem Vorwand, daß Ehrenhändel geheiligte Bereiche sind, zu denen nur die Herren des Dramas Zugang haben. »Die Ehre ist die Liebe«, hörte ich meine Mutter sagen. Hortensia Baute, deren einzige Beteiligung darin bestand, zwei bluttriefende Messer gesehen zu haben, die es noch nicht waren, fühlte sich von ihrer Halluzination so angegriffen, daß sie einem Wahn der Bußfertigkeit verfiel und es eines Tages nicht mehr aushielt und nackt auf die Straße stürzte. Flora Miguel, Santiago Nasars Verlobte, brannte aus Verzweiflung mit einem Leutnant von der Grenztruppe durch, der sie unter den Kautschukzapfern von Vichada prostituierte. Aura Villeros, die Hebamme, die bei der Geburt dreier Generationen mitgewirkt hatte, erlitt einen Blasenkrampf, als sie die Nachricht erfuhr, und benötigte bis zu ihrem Todestag einen Katheter zum Urinieren. Don Rogelio de la Flor, Clotilde Armentas guter Ehemann, der im Alter von sechsundachtzig Jahren ein Wunder an Lebenskraft war, stand zum letztenmal auf, um mit anzusehen, wie Santiago Nasar vor der verschlossenen Tür seines eigenen Hauses abgeschlachtet wurde, und überlebte diese Erschütterung nicht. Plácida Linero hatte diese Tür im letzten Augenblick abgeschlossen, sprach sich aber rechtzeitig von Schuld frei. »Ich schloß sie ab, weil Divina Flor mir schwor, sie habe meinen Sohn hereinkommen sehen«, erzählte sie mir, »aber es traf nicht zu.« Hingegen verzieh sie sich nie, das großartige Vorzeichen der Bäume mit den unheilbringenden Vögeln verwechselt zu haben, und erlag der verderblichen Gewohnheit ihrer Zeit, Kressesamen zu kauen.

Zwölf Tage nach dem Verbrechen sah der Untersuchungsrichter sich einem leibhaftigen Dorf gegenüber. In der schmutzigen Registratur des Rathauses trank er im Kochtopf aufgebrühten Kaffee mit Zuckerrohrrum gegen die Fata Morgana der Hitze und mußte um Verstärkungsgruppen bitten, um die Menge der Menschen in Schach zu halten, die, ohne geladen zu sein, herbeidrängten und unbedingt eine Aussage machen wollten, um ihre eigene wichtige Rolle in dem Drama hervorzuheben. Er hatte soeben den Doktor der Rechte erworben und trug noch den schwarzen Talar der Juristischen Fakultät, den goldenen Siegelring der Promotion und im Gesicht die gefühlvolle Selbstgefälligkeit des glückseligen Erstgebärenden. Doch seinen Namen hat niemand erfahren. Alles, was wir über seinen Charakter wissen, geht aus der Beweisaufnahme hervor, bei deren Beschaffung mir zahlreiche Personen zwanzig Jahre nach dem Verbrechen im Justizpalast von Riohacha behilflich waren. In den Archiven gab es kein Klassifizierungssystem, Akten aus über einem Jahrhundert lagen auf dem Fußboden des baufälligen Kolonialgebäudes gestapelt, das zwei Tage lang das Hauptquartier von Francis Drake gewesen war. Das Erdgeschoß wurde bei Flut überschwemmt, und die zerfledderten Bände schwammen in den verlassenen Kanzleien. Ich selber erforschte, bis zu den Knöcheln durchs Wasser watend, mehrmals dieses Becken der verlorenen Fälle, und nur ein Zufall ermöglichte mir, nach fünf Jahren Suche einige dreihundertzweiundzwanzig lose Bogen aus den über fünfhundert zu retten, welche die Beweisaufnahme umfaßt haben mußte.

Auf keinem von ihnen tauchte der Name des Richters auf, doch ganz offensichtlich war er ein vom Fieber der Literatur verzehrter Mensch. Er hatte zweifellos die spanischen und etliche lateinische Klassiker gelesen, kannte auch sehr gut Nietzsche, der unter den Richtern seiner Zeit Modeautor war. Die Randbemerkungen schienen nicht nur wegen der Farbe der Tinte mit Blut geschrieben zu sein. Dem Rätsel, das ihm aufgegeben war, stand er so ratlos gegenüber, daß er sich trotz der Strenge seines Berufs häufig lyrischen Ausschweifungen ergab. Vor allem schien es ihm völlig unangemessen, daß das Leben sich so vieler, der Literatur verwehrter Zufälle bediente, damit ein so laut angekündigter Tod sich ohne Hindernisse erfülle.

Was ihn jedoch am Ende seiner übertriebenen Ermittlungen am meisten beunruhigte, war, nicht ein einziges, nicht einmal das unwahrscheinlichste Indiz gefunden zu haben, daß Santiago Nasar in Wirklichkeit der Verursacher des Unrechts gewesen sein sollte. Angela Vicarios Freundinnen, die ihre Mitverschworenen in dem Täuschungsmanöver gewesen waren, erzählten noch lange Zeit hindurch, jene habe sie schon vor der Hochzeit zu Mitwisserinnen ihres Geheimnisses gemacht, ihnen jedoch keinen Namen verraten. In der Beweisaufnahme erklärten sie: »Sie nannte uns das Wunder, aber nicht den Heiligen.« Angela Vicario ihrerseits bewahrte Haltung. Als der Untersuchungsrichter sie auf seine verfängliche Weise fragte, wer der verstorbene Santiago Nasar sei, antwortete sie gleichmütig:

»Er war mein Täter.«

So steht es in der Beweisaufnahme, doch ohne jede genauere Angabe über Art oder Ort. Während der Gerichtsverhandlung, die nur drei Tage dauerte, legte der Vertreter der Nebenkläger größten Nachdruck auf die Schwäche dieses Anklagepunktes. Die Ratlosigkeit des Untersuchungsrichters angesichts mangelnder Beweise gegen Santiago Nasar war so groß, daß sein redlicher Arbeitseinsatz vorübergehend von Enttäuschung entkräftet wirkt. Auf Folio 416 schrieb er eigenhändig mit roter Apothekertinte eine Randbemerkung: *Gebt mir ein Vorurteil, und ich werde die Welt bewegen.* Unter diese Umschreibung der Mutlosigkeit zeichnete er mit glücklichem Federstrich in derselben roten Tinte ein von einem Pfeil durchbohrtes Herz. Für ihn wie für Santiago Nasars engste Freunde war dessen Verhalten in den letzten Stunden ein schlüssiger Beweis seiner Unschuld.

Am Morgen seines Todes hatte Santiago Nasar in der Tat keinen Augenblick des Zweifels erlebt, obwohl er sehr genau den Preis der ihm unterstellten Beleidigung kannte. Er war mit der Scheinheiligkeit seiner Umwelt vertraut und mußte wissen, daß die schlichte Veranlagung der Zwillinge sie unfähig machte, dem Gespött zu widerstehen. Niemand kannte Bayardo San Román allzu gut, doch Santiago Nasar kannte ihn so weit, um zu wissen, daß er unter seiner mondänen Aufgeblasenheit den Vorurteilen seiner Herkunft ebenso unterworfen war wie jeder andere. Daher wäre bewußte Sorglosigkeit Selbstmord gewesen. Als er außerdem im letzten Augenblick erfuhr, daß die Brüder Vicario auf ihn warteten, um ihn zu töten, war seine Reaktion nicht Panik, wie so oft behauptet worden ist, sondern eher die Ratlosigkeit der Unschuld.

Mein persönlicher Eindruck ist, daß er starb, ohne seinen Tod zu verstehen. Nachdem er meiner Schwester Margot versprochen hatte, bei uns zu frühstücken, nahm ihn Cristo Bedoya am Arm mit zur Mole, und beide wirkten so ahnungslos, daß sie falsche Illusionen auslösten. »Sie zogen so zufrieden ab«, sagte Meme Loaiza zu mir, »daß ich Gott dankte, denn ich dachte, die Angelegenheit sei erledigt.« Natürlich wollten nicht alle Santiago Nasar so wohl. Polo Carrillo, der Besitzer des Kraftwerks, dachte, seine Ruhe sei nicht Unschuld, sondern Zynismus. »Er glaubte, sein Geld mache ihn unantastbar«, sagte er zu mir. Fausta López, seine Frau, bemerkte dazu: »Wie alle Türken.« Indalecio Pardo war gerade in Clotildes Laden gewesen, und die Zwillinge hatten ihm gesagt, sobald der Bischof fort sei, würden sie Santiago Nasar töten. Wie so viele andere dachte er, es seien Fantasien von Übernächtigten, aber Clotilde Armenta machte ihm klar, daß dem nicht so war, und bat ihn, er möge Santiago Nasar zu erreichen suchen, um ihn zu warnen.

»Gib dir keine Mühe«, sagte Pedro Vicario zu ihm, »er ist schon so gut wie tot.«

Die Herausforderung war allzu offensichtlich. Die Zwillinge kannten die Verbindungen zwischen Indalecio Pardo und Santiago Nasar und dachten wohl, er sei die richtige Person, um das Verbrechen zu vereiteln, ohne daß sie beschämt dastünden. Doch Indalecio Pardo traf Santiago Nasar, als Cristo Bedoya ihn unter den Gruppen, die den Hafen verließen, am Arm führte, und wagte nicht, ihn zu warnen. »Ich bekam weiche Knie«, sagte er zu mir. Er klopfte beiden auf die Schulter und ließ sie ziehen. Sie nahmen ihn kaum wahr, so sehr waren sie in die Berechnung der Hochzeitskosten vertieft.

Die Leute strömten wie sie in Richtung auf den Platz. Es war eine dichtgedrängte Menge, doch Escolástica Cisneros glaubte zu beobachten, daß die beiden Freunde ohne Schwierigkeiten in der Mitte gingen, in einem freien Kreis, denn die Leute wußten, daß Santiago Nasar sterben würde, und wagten nicht, ihn zu berühren. Auch Cristo Bedoya erinnerte sich an eine veränderte Haltung der Menschen ihnen gegenüber. »Sie sahen uns an, als hätten wir ein bemaltes Gesicht«, sagte er zu mir. Noch mehr: Sara Noriega machte ihr Schuhgeschäft in dem Augenblick auf, als sie vorübergingen, und erschrak über Santiago Nasars Blässe. Doch er beruhigte sie.

»Was denken Sie, Fräulein Sara«, sagte er zu ihr, ohne stehenzubleiben. »Bei dem Kater!«

Celeste Dangond saß im Pyjama in der Tür seines Hauses, machte sich über die lustig, die ihre Kleider anbehalten hatten, um den Bischof zu begrüßen, und lud Santiago Nasar zu einem Kaffee ein. »Ich wollte Zeit gewinnen, während ich überlegte«, sagte er zu mir. Aber Santiago Nasar erwiderte ihm, er müsse sich eiligst umziehen, um mit meiner Schwester zu frühstücken. »Ich ließ alles laufen«, erklärte mir Celeste Dangond, »denn mit einemmal hatte ich den Eindruck, daß sie ihn nicht töten könnten, wenn er so sicher war, was er tun wollte.« Yamil Shaium war der einzige, der tat, was er sich vorgenommen hatte. Sobald er von dem Gerücht hörte, trat er vor die Tür seines Stoffgeschäfts und wartete auf Santiago, um ihn zu warnen. Er war einer der letzten Araber, die mit Ibrahim Nasar angekommen waren, war bis zum Tode dessen Kumpan beim Kartenspiel und blieb der Ratgeber der Familie. Niemand verfügte über so viel Autorität, um mit Santiago Nasar zu reden. Dennoch dachte er, er würde ihn grundlos beunruhigen, wenn das Gerücht unbegründet war, und zog vor, sich zuerst mit Cristo Bedoya zu beraten, falls dieser Genaueres wußte. Er rief den Vorbeigehenden. Cristo Bedoya, schon an der Ecke des Platzes, klopfte Santiago Nasar leicht auf die Schulter und folgte Yamil Shaiums Ruf.

»Bis Samstag«, sagte er zu Santiago Nasar.

Dieser antwortete nicht, sondern wandte sich auf Arabisch an Yamil Shaium, und dieser erwiderte gleichfalls auf Arabisch und krümmte sich vor Lachen. »Es war ein Wortspiel, mit dem wir uns immer amüsierten«, sagte mir Yamil Shaium. Ohne stehenzubleiben, winkte Santiago Nasar ihnen ein Lebewohl zu und bog um die Ecke des Platzes. Das war das letztemal, daß sie ihn sahen.

Cristo Bedoya fand kaum Zeit, Yamil Shaiums Information anzuhören, als er schon aus dem Laden rannte, um Santiago Nasar einzuholen. Er hatte ihn um die Ecke biegen sehen, fand ihn jedoch nicht unter den Gruppen, die sich auf dem Platz zu zerstreuen begannen. Mehrere Leute, die er nach ihm fragte, gaben ihm die gleiche Antwort:

»Ich habe ihn noch eben mit dir gesehen.«

Es schien ihm unmöglich, daß er in so kurzer Zeit bis nach Hause gelangt sei, jedenfalls ging er hinein, um nach ihm zu fragen, denn er fand die Vordertür unverriegelt und halb offen. Er trat ein, ohne das Papier auf dem Fußboden zu sehen, und durchschritt im Halbdunkel das Wohnzimmer, bemüht, keinen Lärm zu machen, denn es war noch zu früh für Besuche, doch die Hunde schlugen im Hinterhaus an und kamen angewedelt. Er beruhigte sie mit seinen Schlüsseln, wie er es vom Hausherrn gelernt hatte, und ging, von ihnen bedrängt, zur Küche. Im

Flur begegnete er Divina Flor, die einen Eimer Wasser und einen Lappen trug, um den Wohnzimmerboden zu scheuern. Sie versicherte ihm, Santiago Nasar sei nicht zurückgekehrt. Victoria Guzmán hatte gerade die Kaninchen zum Schmoren auf den Herd gesetzt, als er in die Küche trat. Sie verstand sofort. »Das Herz schlug ihm im Halse«, sagte sie zu mir. Cristo Bedoya fragte sie, ob Santiago Nasar zu Hause sei, und sie antwortete mit gespielter Unschuld, er sei noch nicht zum Schlafen nach Hause gekommen.

»Die Sache ist ernst«, sagte Cristo Bedoya zu ihr. »Sie suchen ihn, um ihn zu töten.«

Victoria Guzmán verging die Unschuld.

»Diese armen Burschen töten niemand«, sagte sie.

»Sie trinken seit Samstag«, sagte Cristo Bedoya.

»Egal«, erwiderte sie. »Kein Betrunkener frißt seine eigene Kacke.«

Cristo Bedoya ging ins Wohnzimmer zurück, wo Divina Flor gerade die Fenster öffnete. »Natürlich regnete es nicht«, sagte Cristo Bedoya zu mir. »Es ging kaum auf sieben, und schon schien goldenes Sonnenlicht zu den Fenstern herein.« Wieder fragte er Divina Flor, ob sie sicher sei, daß Santiago Nasar nicht durch die Wohnzimmertür hereingekommen sei. Jetzt war sie nicht mehr so sicher wie beim erstenmal. Er fragte nach Plácida Linero, und sie entgegnete, sie habe ihr vor einer Sekunde den Kaffee auf den Nachttisch gestellt, sie aber nicht geweckt. So war es immer: Sie erwachte um sieben, trank ihren Kaffee und ging hinunter, um ihre Anweisungen fürs Mittagessen zu geben. Cristo Bedoya sah auf die Uhr: Es war sechs Uhr sechsundfünfzig. Nun stieg er zum Oberstock hinauf, um sich davon zu überzeugen, daß Santiago Nasar nicht heimgekommen war. Die Schlafzimmertür war von innen abgeschlossen, denn Santiago Nasar war durch das Schlafzimmer seiner Mutter hinausgegangen. Cristo Bedoya kannte nicht nur das Haus so gut wie das eigene, sondern stand mit der Familie auch auf so vertrautem Fuß, daß er Plácida Lineros Schlafzimmertür aufstieß, um von dort in das anliegende Schlafzimmer zu gelangen. Ein staubiges Bündel Sonnenstrahlen fiel durch das Oberlicht herein, und die seitlich in der Hängematte liegende schöne Frau mit der bräutlichen Hand an der Wange sah unwirklich aus. »Es war wie eine Erscheinung«, sagte Cristo Bedoya zu mir. Er betrachtete sie einen Augenblick, betört von ihrer Schönheit, und durchschritt in aller Stille das Schlafzimmer, ging am Badezimmer vorbei und betrat Santiago Nasars Schlafzimmer. Das Bett war noch immer unberührt, auf dem Stuhl lag das gebügelte Reitzeug, darauf der Reithut, auf dem Fußboden standen die Stiefel neben den Sporen. Auf dem Nachttisch zeigte Santiago Nasars Armbanduhr sechs Uhr achtundfünfzig. »Plötzlich dachte ich, er sei bewaffnet ausgegangen«, sagte Cristo Bedoya zu mir. Aber er fand die Magnum in der Nachttischschublade. »Ich hatte nie einen Schuß abgegeben«, sagte Cristo Bedoya zu mir, »beschloß aber, den Revolver mitzunehmen, um ihn Santiago Nasar zu bringen.« Er steckte ihn in den Gürtel unters Hemd und merkte erst nach dem Verbrechen, daß die Waffe nicht geladen war. Plácida Linero erschien mit dem Kaffeetäßchen in dem Moment in der Tür, als er die Schublade zuschob.

»Herr des Himmels«, rief sie aus, »was hast du mich erschreckt!«

Auch Cristo Bedoya erschrak. Er sah sie im vollen Licht, im Morgenrock mit goldenen Lerchen darauf und wirrem Haar, ihr Zauber war verschwunden. Etwas verlegen erklärte er, er sei hereingekommen, um Santiago Nasar zu suchen.

»Er ist zum Empfang des Bischofs gegangen«, sagte Plácida Linero.

»Der ist aber weitergefahren«, sagte er.

»Das habe ich mir gedacht«, sagte sie. »Er ist der Sohn der schlimmsten Mutter.«

Sie sprach nicht weiter, denn in diesem Augenblick merkte sie, daß Cristo Bedoya nicht wußte, wohin mit seinen Gliedern. »Hoffentlich hat Gott mir verziehen«, sagte Plácida Linero zu mir, »aber er kam mir so verstört vor, daß ich plötzlich dachte, er sei nur hereingekommen, um zu stehlen.« Sie fragte ihn, was los sei. Cristo Bedoya war sich seiner verdächtigen Lage bewußt, fand aber nicht den Mut, ihr die Wahrheit zu offenbaren.

»Ich habe nämlich kein Auge zugetan«, sagte er zu ihr.

Er ging ohne weitere Erklärungen fort. »Jedenfalls bildete sie sich immer ein«, sagte er zu mir, »man bestehle sie.« Auf dem Platz traf er Pater Amador, der mit den Paramenten der verhinderten Feldmesse in die Kirche zurückkehrte, doch er hatte nicht den Eindruck, daß dieser für Santiago Nasar etwas anderes tun könne, als dessen Seele zu retten. Er wollte noch einmal zum Hafen gehen, als er seinen Namen aus Clotilde Armentas Laden rufen hörte. Pedro Vicario stand in der Tür, aschfahl und zerzaust, mit offenem Hemd und bis zu den Ellbogen hochgekrempelten Ärmeln, das plumpe Messer in der Hand, das er selbst aus einem Sägeblatt hergestellt hatte. Seine Haltung war viel zu unverschämt, um zufällig zu sein, und trotzdem war sie nicht die einzige noch die auffälligste, die er in den letzten Minuten probierte, um an der Verübung des Verbrechens gehindert zu werden.

»Cristóbal«, schrie er, »sag Santiago Nasar, daß wir hier auf ihn warten, um ihn zu töten.«

Cristo Bedoya hätte ihm den Gefallen getan, ihn daran zu hindern. »Hätte ich gewußt, wie man einen Revolver abdrückt, wäre Santiago Nasar am Leben«, sagte er zu mir. Doch nach all dem, was er über die verheerende Durchschlagkraft eines Vollmantelgeschosses gehört hatte, beeindruckte ihn schon der Gedanke daran.

»Ich warne dich: Er ist mit einer Magnum bewaffnet, die einen Motor durchschlägt«, schrie er.

Pedro Vicario wußte, daß das nicht zutraf. »Er war nur bewaffnet, wenn er Reitzeug trug«, sagte er zu mir. Doch hatte er jedenfalls damit gerechnet, daß jener es sein würde, als er den Entschluß faßte, die Ehre der Schwester reinzuwaschen.

»Die Toten schießen nicht«, schrie er.

Jetzt erschien Pablo Vicario in der Tür. Er war so bleich wie sein Bruder, er hatte sein Hochzeitsjakkett an und hielt das in die Zeitung gewickelte Messer. »Wäre das nicht gewesen«, sagte Cristo Bedoya zu mir, »ich hätte nie gewußt, wer von beiden wer ist.« Clotilde Armenta tauchte hinter Pablo Vicario auf und schrie Cristo Bedoya zu, er solle sich sputen, denn in diesem Dorf von schwulen Hengsten könne nur ein Mann wie er das Trauerspiel verhüten. Alles, was von da an geschah, wurde öffentlich bekannt. Die vom Hafen zurückkehrenden, von den Schreien gewarnten Menschen nahmen auf dem Platz Aufstellung, um dem Verbrechen beizuwohnen. Cristo Bedoya fragte mehrere Bekannte nach Santiago Nasar, doch niemand hatte ihn gesehen. In der Tür des Gesellschaftsklubs stieß er auf Oberst Lázaro Aponte und erzählte ihm, was sich soeben vor Clotilde Armentas Laden abgespielt hatte.

»Das kann nicht sein«, sagte der Oberst Aponte, »denn ich habe sie schlafen geschickt.«

»Ich habe sie soeben mit einem Messer zum Schweineschlachten gesehen«, sagte Cristo Bedoya.

»Das kann nicht sein, denn ich habe sie ihnen abgenommen, bevor ich sie schlafen schickte«, sagte der Bürgermeister. »Du mußt sie vorher gesehen haben.«

»Ich habe sie vor zwei Minuten gesehen, und jeder von ihnen hielt ein Messer zum Schweineschlachten in der Hand«, sagte Cristo Bedoya.

»Teufel noch eins«, sagte der Bürgermeister. »Dann müssen sie mit anderen Messern zurückgekommen sein!«

Er versprach, sich unverzüglich mit der Sache zu beschäftigen, betrat aber den Gesellschaftsklub, um für den kommenden Abend eine Dominopartie zu verabreden, und als er wieder heraustrat, war das Verbrechen bereits geschehen. Cristo Bedoya beging nun seinen einzigen tödlichen Fehler: Er dachte, Santiago Nasar habe in letzter Minute beschlossen, vor dem Umkleiden in unserem Haus zu frühstücken, und ging dorthin, um ihn zu holen. Er eilte am Flußufer entlang und fragte jeden, der ihm entgegenkam, ob er zufällig Santiago Nasar begegnet sei, doch niemand konnte ihm eine bejahende Auskunft geben. Es beunruhigte ihn nicht, denn es gab andere Wege zu unserem Haus. Próspera Arango, das Soldatenliebchen, flehte ihn an, er möge etwas für ihren Vater tun, der, auf den Stufen seines Hauses hockend, sich zu Tode röchelte, immun gegen den flüchtigen Segen des Bischofs. »Ich hatte ihn im Vorübergehen gesehen«, sagte meine Schwester Margot zu mir, »er hatte schon das Gesicht eines Toten.« Cristo Bedoya hielt sich vier Minuten auf, um den Zustand des Kranken festzustellen, und versprach später zu einer Notbehandlung zurückzukehren, verlor aber weitere drei Minuten, um Próspera Arango zu helfen, ihn ins Schlafzimmer zu schaffen. Als er auf die Straße trat, hörte er ferne Schreie, und ihm schien, als würden Feuerwerkskörper in Richtung Platz losgelassen. Er versuchte zu rennen, aber der ungeschickt im Gürtel steckende Revolver behinderte ihn dabei. Als er um die letzte Ecke bog, erkannte er von hinten meine Mutter, die ihren jüngsten Sohn fast hinter sich her schleppte.

»Luisa Santiago«, schrie er ihr zu, »wo ist Ihr Patenkind?«

Meine Mutter wandte ihm kaum ihr tränengebadetes Gesicht zu.

»Ach, Sohn«, erwiderte sie, »es heißt, sie haben ihn getötet!«

So war es. Während Cristo Bedoya ihn suchte,

hatte Santiago Nasar das Haus seiner Verlobten Flora Miguel betreten, genau an der Ecke, wo Cristo ihn zum letztenmal gesehen hatte. »Ich kam nicht auf die Idee, daß er dort sein könne«, sagte er zu mir, »weil diese Leute nie vor Mittag aufstehen.« Es war eine landläufige Meinung, daß die ganze Familie auf Befehl von Nahir Miguel, dem Weisen der Gemeinde, bis zwölf schlief. »Daher war Flora Miguel, die sich nicht verzettelte, unberührt wie eine Rose«, sagte Mercedes. In Wirklichkeit hielt die Familie das Haus bis sehr spät abgeschlossen, ihre Mitglieder waren aber Frühaufsteher und Arbeitstiere. Santiago Nasars und Flora Miguels Eltern waren übereingekommen, sie miteinander zu verheiraten. Santiago Nasar akzeptierte als blutjunger Mann die Verlobung und war entschlossen, sie zu erfüllen, vielleicht weil er genau wie sein Vater die Ehe als Zweckbündnis ansah. In Flora Miguels Wesen lag zwar etwas von Blütenflor, dafür besaß sie aber weder Anmut noch Verstand und hatte ihrer gesamten Generation als Trauzeugin gedient, so daß die Vereinbarung für sie eine von der Vorsehung bestimmte Lösung war. Die Verlobungszeit der beiden war unproblematisch, förmliche Besuche oder Unruhe des Herzens gab es nicht. Die mehrmals verschobene Hochzeit war schließlich für das kommende Weihnachtsfest anberaumt.

Flora Miguel erwachte an jenem Montag vom ersten Heulen des Bischofsschiffs; gleich darauf erfuhr sie, daß die Zwillinge Vicario auf Santiago Nasar warteten, um ihn zu töten. Meiner Schwester, der Nonne, die einzige, die mit ihr nach dem Unglück sprach, sagte sie, sie erinnere sich nicht einmal mehr, wer es ihr gesagt habe. »Ich weiß nur, daß um sechs Uhr früh alle Welt es wußte«, sagte sie zu ihr. Trotzdem schien es ihr unbegreiflich, daß man Santiago Nasar töten wolle; dagegen kam ihr der Gedanke, daß man ihn zwingen würde, Angela Vicario zu heiraten, um ihre Ehre wiederherzustellen. Ein Gefühl der Demütigung befiel sie. Während das halbe Dorf auf den Bischof wartete, weinte sie in ihrem Schlafzimmer vor Wut und brachte Ordnung in ihre Schatulle mit den Briefen, die Santiago Nasar ihr aus dem Internat geschrieben hatte.

Immer wenn Santiago Nasar an Flora Miguels Haus vorüberging, auch wenn niemand da war, raspelte er mit seinen Schlüsseln über die Drahtgitter der Fenster. An jenem Montag wartete sie auf ihn, die Briefschatulle auf dem Schoß. Santiago Nasar konnte sie von der Straße aus nicht sehen, sie hingegen sah ihn durch den Maschendraht näher kommen, noch bevor er mit den Schlüsseln darüber raspelte.

»Komm herein«, sagte sie zu ihm.

Niemand, nicht einmal ein Arzt, hätte dieses Haus je um sechs Uhr fünfundvierzig betreten. Santiago Nasar hatte gerade Cristo Bedoya in Yamil Shaiums Laden zurückgelassen, und auf dem Platz beschäftigten sich so viele Leute mit ihm, daß es unbegreiflich war, daß niemand ihn das Haus seiner Verlobten betreten sah. Der Untersuchungsrichter suchte wenigstens eine Person, die ihn gesehen haben könnte, und tat es mit ebensoviel Beharrlichkeit wie ich, doch es war unmöglich, diese Person zu finden. Auf Folio 382 der Beweisaufnahme schrieb er eine weitere Sentenz mit roter Tinte an den Rand:

Das Verhängnis macht uns unsichtbar. Tatsache ist, daß Santiago Nasar vor aller Augen und ohne das geringste zu unternehmen, um nicht gesehen zu werden, durch die Haupttür eintrat. Flora Miguel erwartete ihn im Wohnzimmer, grün vor Zorn, in einem ihrer unglücklichen Halskrausenkleider, die sie bei denkwürdigen Gelegenheiten zu tragen pflegte, und überreichte ihm die Schatulle.

»Hier«, sagte sie zu ihm. »Und hoffentlich töten sie dich!«

Santiago Nasar war so verblüfft, daß ihm die Schatulle aus den Händen fiel und seine Briefe ohne Liebe sich auf den Fußboden ergossen. Er versuchte Flora Miguel im Schlafzimmer einzuholen, doch sie hatte bereits die Tür verschlossen und den Riegel vorgeschoben. Er klopfte mehrmals und rief sie mit einer für die Tageszeit allzu drängenden Stimme, so daß die gesamte Familie aufgestört herbeieilte. Mit Blutsverwandten und Verschwägerten, älteren und jüngeren, waren es über vierzehn. Der letzte, der aus seinem Zimmer kam, war Nahir Miguel, der Vater, mit seinem verfärbten Bart und seiner Beduinendschellaba, die er aus seiner Heimat mitgebracht hatte und im Hause immer trug. Ich hatte ihn häufig gesehen, er war riesengroß und bedächtig, doch am meisten beeindruckte mich der Glanz seiner Autorität.

»Flora«, rief er in seiner Muttersprache, »öffne die Tür.«

Er betrat das Schlafzimmer seiner Tochter, während die Familie gedankenverloren Santiago Nasar betrachtete. Im Wohnzimmer knieend sammelte er die Briefe vom Fußboden auf und legte sie in die

Schatulle. »Es sah aus wie eine Bußübung«, sagten sie zu mir. Nahir Miguel kam nach einigen Minuten aus dem Schlafzimmer, machte ein Zeichen mit der Hand, und die gesamte Familie verschwand.

Dann sprach er auf Arabisch mit Santiago Nasar. »Mir war vom ersten Moment an klar, daß ihm nicht das geringste von dem aufging, was ich zu ihm sagte«, sagte er zu mir. Dann fragte er ihn unumwunden, ob er wisse, daß die Brüder Vicario ihn suchten, um ihn zu töten. »Er wurde blaß und verlor auf eine Weise die Selbstbeherrschung, daß man unmöglich annehmen konnte, er verstelle sich«, sagte er zu mir. Er räumte ein, daß seine Haltung weniger Angst als Bestürzung verriet.

»Du wirst wissen, ob sie recht haben oder nicht«, sagte er zu ihm. »Jedenfalls bleiben dir jetzt nur zwei Möglichkeiten: entweder du versteckst dich hier, wo du zu Hause bist, oder du gehst mit meiner Büchse auf die Straße.«

»Ich verstehe keinen Scheißdeut«, sagte Santiago Nasar.

Mehr brachte er nicht heraus, und er sagte es auf Spanisch. »Er sah aus wie ein patschnasses Vögelchen«, sagte Nahir Miguel zu mir. Er mußte ihm die Schatulle aus der Hand nehmen, weil Santiago Nasar nicht wußte, wo er sie lassen sollte, um die Tür zu öffnen.

»Es sind zwei gegen einen«, sagte er zu ihm.

Santiago Nasar ging. Die Leute hatten sich wie an den Tagen der Paraden auf dem Platz postiert. Alle sahen ihn herauskommen, und alle begriffen, daß er bereits wußte, daß sie ihn töten würden, und so verstört war, daß er nicht den Weg nach Hause fand. Es heißt, jemand habe von einem Balkon geschrien: »Nicht dort lang, Türke, durch den alten Hafen.« Santiago Nasar suchte die Stimme. Yamil Shaium schrie ihm zu, er solle in seinem Laden unterkriechen, und lief hinein, um seine Jagdflinte zu suchen, wußte aber nicht mehr, wo er die Patronen versteckt hatte. Von allen Seiten begannen sie ihm zuzuschreien, und Santiago Nasar lief mehrmals im Kreise vor und zurück, so verwirrt war er von all den auf einmal rufenden Stimmen. Offensichtlich wollte er sein Haus durch die Küchentür betreten, doch plötzlich wurde ihm wohl bewußt, daß die Haustür nicht abgeschlossen war.

»Da kommt er«, sagte Pedro Vicario.

Beide hatten ihn gleichzeitig gesehen. Pablo Vicario zog die Jacke aus, legte sie auf den Hocker und wickelte das krummsäbelförmige Messer aus. Bevor sie den Laden verließen, schlugen beide ohne vorherige Verabredung das Kreuz. Jetzt packte Clotilde Armenta Pedro Vicario am Hemd und schrie Santiago Nasar zu, er solle rennen, denn sie würden ihn töten. Es war ein so qualvoller Schrei, daß er die anderen zum Verstummen brachte. »Zunächst erschrak er«, sagte Clotilde Armenta zu mir, »weil er nicht wußte, von wem er angeschrien wurde, noch, woher.« Doch als er sie sah, sah er auch Pedro Vicario, der sie zu Boden stieß und seinem Bruder nachlief. Santiago Nasar war keine fünfzig Meter von seinem Haus entfernt und rannte auf die Haupttür zu.

Fünf Minuten vorher hatte Victoria Guzmán Plácida Linero in der Küche erzählt, was bereits alle Welt wußte. Plácida Linero war eine Frau mit guten

Nerven, daher ließ sie sich keine Beunruhigung anmerken. Sie fragte Victoria Guzmán, ob sie etwas zu ihrem Sohn gesagt habe, und diese log bewußt, denn sie erwiderte, sie habe noch nichts gewußt, als er zum Kaffeetrinken heruntergekommen sei. Im Wohnzimmer, wo sie noch immer den Fußboden aufwischte, sah Divina Flor gleichzeitig, daß Santiago Nasar durch die Tür zum Platz hereinkam und die Schiffsleiter zu den Schlafzimmern hinaufstieg. »Es war eine deutliche Vision«, erzählte mir Divina Flor. »Er trug den weißen Anzug und hatte etwas in der Hand, das ich nicht gut sehen konnte, aber es sah aus wie ein Rosenstrauß.« Als Plácida Linero sie nach ihm fragte, beruhigte Divina Flor sie folglich.

»Er ist vor einer Minute hinaufgegangen«, sagte sie zu ihr.

Nun sah Plácida Linero das Papier auf dem Fußboden, dachte aber nicht daran, es aufzuheben, und erfuhr seinen Inhalt erst, als jemand es ihr später im weiteren chaotischen Verlauf der Tragödie zeigte. Durch die Tür sah sie die Brüder Vicario, die mit den blanken Messern auf das Haus zugerannt kamen. Von ihrem Standort aus konnte sie die beiden sehen, vermochte aber nicht ihren Sohn zu sehen, der aus einer anderen Richtung auf die Tür zurannte. »Ich dachte, sie hätten vor, ihn im Haus zu töten«, sagte sie zu mir. Nun lief sie zur Tür und schloß sie mit einem Ruck ab. Sie schob gerade den Riegel vor, als sie Santiago Nasars Schreie hörte und seine schreckerfüllten Faustschläge gegen die Tür, aber sie glaubte, er sei oben und beschimpfe die Brüder Vicario vom Balkon seines Schlafzimmers aus. Sie stieg hinauf, um ihm beizustehen.

Santiago Nasar hätte nur noch wenige Sekunden gebraucht, um ins Haus zu gelangen, als sich die Tür schloß. Er konnte gerade noch mehrmals dagegen hämmern, dann machte er kehrt, um sich mit blanken Händen seinen Feinden zu stellen. »Ich erschrak, als ich ihn vor mir sah«, sagte Pablo Vicario zu mir, »denn er wirkte auf mich zweimal so groß, wie er wirklich war.« Santiago Nasar hob die Hand, um den ersten Schlag Pedro Vicarios zu parieren, der ihn von der rechten Flanke mit dem geraden Messer angriff.

»Hurensöhne«, schrie er.

Das Messer durchbohrte den Teller der rechten Hand, dann grub es sich bis zum Heft in seine Seite. Alle hörten seinen Schmerzensschrei.

»Ach Mutter!«

Pedro Vicario zog das Messer mit seiner wilden Schlachterfaust wieder heraus und versetzte ihm fast an der gleichen Stelle einen zweiten Stich. »Merkwürdig war, daß das Messer sauber herauskam«, erklärte Pedro Vicario dem Untersuchungsrichter. »Ich hatte wenigstens dreimal zugestoßen, und es kam kein Tropfen Blut mit.« Santiago Nasar krümmte sich nach dem dritten Messerstich, verschränkte die Arme über dem Bauch, gab einen Klagelaut wie ein Jungstier von sich und versuchte, ihnen den Rücken zu kehren. Pablo Vicario, der mit dem krummen Messer links von ihm stand, versetzte ihm jetzt den einzigen Stich in die Lende, und mit hohem Druck durchweichte ein Blutstrahl sein Hemd. »Ich roch wie er«, sagte er zu mir. Dreimal tödlich verwundet, drehte er ihnen von neuem die Vorderseite zu und lehnte sich mit dem Rücken an die Tür seiner Mutter, ohne den geringsten Widerstand, als wolle er nur dabei helfen, daß sie ihn zu gleichen Teilen vollends töteten. »Er schrie nicht wieder«, sagte Pedro Vicario vor dem Untersuchungsrichter. »Im Gegenteil: es kam mir vor, als lache er.« Dann stachen beide weiter gegen die Tür auf ihn ein, abwechselnd und mit leichter Hand, und schwammen dabei in dem trügerischen Stausee, den sie jenseits der Angst fanden. Sie hörten nicht die Schreie des über sein eigenes Verbrechen entsetzten Dorfs. »Ich fühlte mich wie auf einem dahingaloppierenden Pferd«, erklärte Pablo Vicario. Doch beide erwachten plötzlich zur Wirklichkeit, weil sie erschöpft waren, und trotzdem kam es ihnen so vor, als würde Santiago Nasar nie zusammenbrechen. »Scheiße, Vetter«, sagte Pablo Vicario zu mir, »du kannst dir nicht vorstellen, wie schwierig es ist, einen Menschen zu töten!« Um ein für alle Mal Schluß zu machen, zielte Pedro Vicario auf sein Herz, aber er zielte dabei fast auf die Achsel, wo es die Schweine haben. In Wirklichkeit fiel Santiago Nasar nicht, weil sie ihn beide mit Messerstichen an die Tür nagelten. Verzweifelt versetzte Pablo Vicario ihm einen waagerechten Schnitt in den Bauch, und die Eingeweide spritzten wie eine Explosion vollständig heraus. Pedro Vicario wollte das gleiche machen, aber sein Handgelenk krümmte sich vor Entsetzen, und er traf ihn nur am Schenkel. Santiago Nasar stand noch eine Sekunde an die Tür gelehnt, bis er seine eigenen Weichteile in der Sonne sah, sauber und blau, und brach dann in die Knie.

Nachdem sie ihn schreiend in den Schlafzimmern gesucht und, ohne zu wissen, woher, andere

Schreie, die nicht die ihren waren, gehört hatte, trat Plácida Linero an das auf den Platz gehende Fenster und sah die Zwillinge Vicario zur Kirche laufen. Dicht auf den Fersen folgten ihnen Yamil Shaium mit seiner Tigerflinte und andere waffenlose Araber, und Plácida Linero dachte, die Gefahr sei vorüber. Dann trat sie auf den Schlafzimmerbalkon und sah Santiago Nasar vor der Tür mit dem Gesicht im Staub liegen, bemüht, sich aus dem eigenen Blut hochzuraffen. Er richtete sich schräg auf, torkelte wie im Rausch los, seine heraushängenden Eingeweide in den Händen. Er legte mehr als hundert Meter zurück, um einen vollständigen Bogen ums Haus zu machen und zur Küchentür zu gelangen. Er war noch klar genug im Kopf, um nicht über die Straße zu gehen, was ein Umweg war, sondern kam durch das Nebenhaus herein. Poncho Lanao, seine Frau und seine fünf Kinder hatten nicht bemerkt, was zwanzig Schritt vor ihrer Tür geschehen war. »Wir hörten das Geschrei«, sagte die Frau zu mir, »aber wir dachten, es sei das Bischofsfest.« Sie begannen gerade zu frühstücken, als sie Santiago Nasar blutüberströmt mit der Traube seiner Eingeweide in den Händen hereinkommen sahen. Poncho Lanao sagte zu mir: »Was ich nie vergessen konnte, war der schreckliche Geruch nach Scheiße.« Doch Argénida Lanao, die älteste Tochter, erzählte, Santiago Nasar sei kräftig ausgeschritten wie immer und habe seine Tritte gut bemessen, und sein Sarazenengesicht mit dem wirren Kraushaar sei schöner gewesen denn je. Als er am Tisch vorbeikam, lächelte er ihnen zu und ging durch die Schlafzimmer zum hinteren Ausgang des Hauses. »Wir waren vor Schreck gelähmt«, sagte Argénida Lanao zu mir. Meine Tante Wenefrida Márquez schuppte gerade einen Fisch im Innenhof ihres Hauses auf der anderen Seite des Flusses und sah ihn die Treppe der alten Mole herabsteigen und festen Schritts auf sein Haus zugehen.

»Santiago, Sohn«, schrie sie ihm zu. »Was ist los mit dir!«

Santiago Nasar erkannte sie.

»Sie haben mich getötet, Mädchen Wene«, sagte er. Er stolperte auf der letzten Stufe, richtete sich aber sofort auf. »Er war sogar so umsichtig und klopfte mit der Hand die Erde ab, die an den Därmen hängengeblieben war«, sagte meine Tante Wene zu mir. Dann betrat er sein Haus durch die Hintertür, die seit sechs Uhr offenstand, und fiel in der Küche aufs Gesicht.

Gabriel García Márquez
Die Liebe in den Zeiten der Cholera
Roman

Aus dem Spanischen von Dagmar Ploetz
KiWi 745

51 Jahre, 9 Monate und 4 Tage wartet Florentino Ariza auf Fermina Daza, auf die große Liebe seines Lebens. Er hat einst um Fermina geworben, sie gewonnen, aber dann an Doktor Juvenal Urbino verloren. Florentino Ariza hat nie aufgehört, sie zu lieben. Fast am Ende des Lebens, das für beide reich an Höhen und Tiefen war, weiß er, daß er nicht vergeblich gewartet hat. – Die schönste Liebesgeschichte der Welt.

Gabriel García Márquez
Hundert Jahre Einsamkeit
Roman

Aus dem Spanischen von Curt Meyer-Clason
KiWi 740

»Hundert Jahre Einsamkeit« ist García Márquez´ berühmtester Roman, der seit seinem Erscheinen eine Weltauflage von über 400 Millionen Exemplaren erreicht hat und zu den größten Romanen der Weltliteratur gehört. Er erzählt die Geschichte der Familie Buendía, ihres Aufstiegs und Niedergangs. In dem von den Buendías gegründeten Dorf Macondo enthüllt sich die ganze Tragödie Lateinamerikas, verschmelzen Mythos und Wirklichkeit.

Gabriel García Márquez
Die Erzählungen

Aus dem Spanischen von Curt Meyer-Clason
KiWi 743

Diese Erzählungen von Gabriel García Márquez, zwischen 1947 und 1972 entstanden, sind thematisch und stilistisch miteinander verwoben. Immer wieder tauchen Figuren seines Kosmos' auf, führen hin zu seinem großen Roman »Hundert Jahre Einsamkeit«. Jugendlich schwermütig oder phantastisch zeigen sie ihn auch als Meister der kleinen Form.

Gabriel García Márquez
Der Oberst hat niemand, der ihm schreibt

Roman

Aus dem Spanischen von Curt Meyer-Clason
KiWi 738

Der Oberst wartet verzweifelt auf einen Brief, wartet seit 56 Jahren darauf, daß die Regierung ihm seine Veteranenpension bestätigt. Doch der Brief kommt nicht. Der einzige Besitz des Obersten, der mit seiner Frau in tiefer Armut lebt, ist ein Kampfhahn. Dieser Hahn wird für ihn und sein Dorf, das seit Jahren unter dem Ausnahmezustand der Militärdiktatur leidet, zum Symbol der Hoffnung und des Widerstands.

Gabriel García Márquez
Bericht eines Schiffbrüchigen

Aus dem Spanischen von Christiane und Curt Meyer-Clason
KiWi 737

Tagelang trotzt ein Schiffbrüchiger, allein auf einem Rettungsfloß in der Karibik, mit aller Kraft Hunger, Durst und der Gewalt des Meeres. Er überlebt – auch wenn er sich schon verloren geglaubt hat. García Márquez hat die Geschichte des Schiffbrüchigen aufgezeichnet und auf seine unvergleichliche Weise verdichtet.

Gabriel García Márquez
Der Herbst des Patriarchen

Roman

Aus dem Spanischen von Curt Meyer-Clason
KiWi 741

Der Roman erzählt vom Aufstieg und Fall eines lateinamerikanischen Diktators, vom Terror, von seiner usurpatorischen Willkür und dem grausigen Ende seines Lebens. In der Figur des Patriarchen, der von seinen Untertanen gehaßt und verehrt wurde, vereint García Márquez die autokratischen Herrscher der spanischsprachigen Welt Lateinamerikas der letzten 150 Jahre und schafft so eine unvergleichliche Parabel auf die Macht.

Gabriel García Márquez
Der Geruch der Guayave

Gespräche mit Plinio Apuleyo Mendoza

Aus dem Spanischen von Tom Koenigs
KiWi 746

Wer könnte die Welt, über die er schreibt, besser interpretieren als der Autor selbst? Das geschieht in den Gesprächen zwischen Gabriel García Márquez und seinem Jugendfreund, dem kolumbianischen Schriftsteller Plinio Apuleyo Mendoza. García Márquez erzählt von der Kindheit in Aracataca, von der großen Familie, von Schule und Studium, von der Arbeit als Journalist und den Anfängen als Schriftsteller. Er spricht über Politik, sein Werk und die große Bürde des Ruhms.

Gabriel García Márquez
Das Abenteuer des Miguel Littín

Illegal in Chile

Aus dem Spanischen von Ulli Langenbrinck
KiWi 744

In einer spannenden Reportage in der Ich-Form läßt García Márquez den Filmregisseur Miguel Littín von seinen Abenteuern im Chile Pinochets erzählen. Littín ist es als Exilchilenen verboten, in sein Heimatland zurückzukehren. Aber es gelingt ihm, und mit generalstabsmäßiger Planung täuscht er die allgegenwärtige Geheimpolizei.